水と植物の地球環境
環境破壊による気象災害

保坂貞治

はじめに

地球創世 46 億年　40～37 億年前生命誕生

幾多の地球環境の激変を　生きる術を獲得し進化、適応

500 万年前人類誕生　豊かさの希求は科学技術を向上

無限の空気と水は汚れ　緑の減少と気象災害

生き物たちは　森や緑色植物の恵みで命をつなぐ

環境教育、環境施策の基本課題、緑の保全、復元と創造

この大切な緑の地球環境を　次代に引き継ぐ心の醸成を求めて。

目　次

Ⅰ章　地球の自然

1. 地球の生き物

（1）地球誕生

宇宙は誕生から 138 億年、今も宇宙は膨張を続けている。恒星ブラックホールが生まれる条件は、物が一点に集中して圧縮し極めて高密度の状態となる。これが恒星ブラックホールである。恒星ブラックホールは、極めて小さいが巨大にもなり得る。宇宙が始まるとき真空となってエネルギーが誕生と消滅を繰り返す。これが量子ゆらぎで、この真空ゆらぎが膨張を始め急膨張すると密度にむらが生じて、密度が極めて低い部分が崩れて無数の原始ブラックホールができる。その後高温の状態となりビックバンが起きて物質が生まれる。天文学者のホーキング博士やクラーク博士も宇宙の始まりにこのような状態があったと考えている。

銀河系の中心には太陽の質量の 12 億個分の超巨大なブラックホールが存在すると考えられている。2017 年に世界 6 カ国 8 カ所の望遠鏡を使って重力波が捕らえられた。宇宙に漂うガスや星屑が、密度の高い部分で揺らぎが生じ、その中心部に周りの星間物質が吸い寄せられる。激しい衝突と合体を繰り返し、渦巻ながら直径数 m～10km くらいまで成長する。これを微惑星と呼び。比較的大きな微惑星は、他の微惑星を引き寄せ合体と衝突を繰り返し成長して大きくなる。こうして大きくなった地球は46億年前に誕生した。誕生当時の太古の地球は衝突、合体のエネルギーで高温の火の玉状態であった。やがて熱を放出して冷えてくると内部に含まれる鉄やニッケルなどの重い金属は中心に沈み核を造り、軽いマグネシウムやケイ素、アルミニウム等の成分はその周りを取り囲みマントルとなり、その外側に地殻となって玄武岩、花崗岩質の元素が取り囲み、水素と酸素は結合して水となり海となって地球が生まれた。

（2）生命誕生

① 地球創世

46億年太古の生物は、海という環境で全生物の共通の生物が誕生した。30億年前にバクテリア（細菌）とアーキア（古細菌）に進化した。約20億年前に古細菌の宿主（しゅくしゅ）のミトコンドリアが呼吸する生物プロテオバクテリアを細胞内に取り込み真核生物が生まれ菌類、動物、その他の生物へと進化した。約10億年前に葉緑体が光合成をするシアノバクテリアを取り込み藻類、植物へと進化した。

最古の生物：シアノバクテリア地球の大気に最初の酸素をもたらした

現存する太古の生物はアメリカのイエローストーン国立公園の高温の熱水で灼熱、猛毒の硫化水素の極限下で原始の海さながらの中でスルホロバスという菌類の仲間は生きている。シアノバクテリアは37億年前に誕生し、二酸化炭素と水を取り入れ太陽エネルギーで光合成を行った最初の生物で、原始の地球の大気に多かった二酸化炭素を取り入れ酸素を放出した最初の生物でもある。二酸化炭素を吸収することで気温も下がり、放出された酸素は太陽の紫外線によりオゾンとなり、生物にとり有害な紫外線を防ぎ生物が海から陸への進出ができる環境をつくった生物でもある。オーストラリアのハメリンプールの海に棲息するシアノバクテリアは、閉じ込められた環境の海で外海からの海水の出入りが少なく、海水が蒸発により塩分濃度が通常の 2 倍という高濃度の海の中でコロニーをつくり棲息しストロマトライトを形成し生存している。塩分濃度が高い海では他の生物は住めず外敵も無く生き延びたと考えられている。

② 水と生き物

海の中に誕生した生物は、海という環境で必要な元素を海水から取り入れ体をつくり生命活動と命をつないでいた。生き物が自由に動き回ったり、海を離れて陸地や空に進出するには、水無くして生命活動も種の保存もできない。生き物は、表皮細胞という袋の中に海という環境を閉じ込め海から陸へ更に空へと進出し進化、適応し多様化した。

人の体は有機化合物であり構成する元素は、炭素 C、水素 H、窒素 N で 90～95%を占め残り 2.2%がカルシウム Ca、硫黄 S、リン P、ナトリウム Na、カリウム K、塩素 Cl、マグネシウム Mg、鉄 Fe で構成され、内 H と O が水 H_2O という形で人は 65%、樹木は 75%を体液、樹液として蓄えている。これは地球最初の生物が海という環境で生まれ、その環境を皮膚や表皮、殻に閉じ込め多様な生物へと進化したからにほかならない。生き物の生命活動や種の繁栄に関わるホルモン、酵素やそれを抑制するホルモン酵素も化学物質であり、生命体の合成、分解は化学変化である。このように生き物の体は化学物質で構成されその生命現象を維持しコントロールするホルモンや酵素は極微量で体内を回り合成、分解、変換等の生命現象に関わっている。

（3）生き物たちの真の自然の姿

① 生態系「真の自然の姿は生態系のバランス」

地球の生き物たちの真の姿は自然の調和の中で営まれており、緑色植物は水と二酸化炭素を取り入れ、太陽の光を葉に受けその光エネルギーを使い葉緑体でデンプンを合成している。合成されたデンプンは植物の生命維持と生長に使われ、また種族保存や栄養源として保存されている。

草食の昆虫、ウサギ、ヤギは緑の植物を食べ栄養源として生命を維持し種の繁栄を図っている。

草食の昆虫を食べる小鳥、ウサギを食べる鷹やキツネ、更に肉食のトラやヒョウに食べられる。

自然界は、緑色植物が太陽の光エネルギーを受け光合成を行い自身の栄養源のデンプンを合成し生命維持と種の繁栄を行っている生物を生産者と呼ぶ。生産者の植物を食べる昆虫やウサギを一次消費者と呼び、一次消費者の昆虫やウサギを食べる小鳥やキツネを二次消費者と呼ぶ。自然界は、食う食われるの関係にある食物連鎖で命が繋がっている。これを生態系と呼び自然界は、この生態系のバランスで保たれ多様な種の命が保たれている。この関係は、生産者である植物を食べる草食昆虫が増え過ぎても、草食動物が増え過ぎても葉や草は食べられ草原の緑が減少して草食動物は生きられなくなり減少する。トンビやタカが増えると小鳥が食べられ減少する。小鳥が減少すると虫が増え過ぎ植物は葉を食べられ植物は光合成ができなくなってしまう。このように自然界は生物同士の食う食われるの食物連鎖で、土地や空間の広がりや水や気温等の環境の中で種の数のバランスが微妙に保たれ生態系が維持され種の数が維持されているのである。

生態系の中で最も大切な存在は生産者である緑の植物で、緑の植物がなければ草食の昆虫や草食動物は生きられず、また草食動物を食べる肉食動物も生きられない。世界の森の 7%を占める熱帯雨林の森には地球の生き物 150 万種の内半分が棲息しているといわれている。多様な生き物が棲息できるのも成長の速い森のお陰であり、この大切な森が年々減少している。

② 気候と植物

地球上在りとあらゆる所には様々な植物が生えている。ある場所で植物を観て数が多いのがその場所の環境に適した植物で優占種となる。気温と植物群落の分布は日本では暖かい地方ではシイ、カシ類の照葉樹林が生え、寒い北海道にはエゾマツ、トドマツの針葉樹林が生えている。シイ、カシ、ツバキは、多少寒くとも光合成を行うことができる。常緑樹が茂ってくるとほかの植物は光を奪われ育つことができず林床に光もささず草も生えない。北海道では冬は寒いし暖かい夏も短く植物が春になり芽吹き葉を広げ光合成をする期間が短い。そこで葉を細長く肉厚の針状にすることにより積雪の重みで木が折れるのを防ぐことと光合成の期間を長くした針葉樹林が生えている。

世界の陸上植物を降水量で観ると、降水量の多い環境では森林となり、少ないと草原となり、極端に少なくなると荒原となり植物もまばらとなる。

植物の群落の形成には、気温と降水量が環境要因として関わっている。

森林の分布を観ると熱帯、亜熱帯で降水量が多いと熱帯、亜熱帯多雨林が発達し、乾季と雨季がハッキリとしていると雨緑樹林が発達する。温帯では、照葉樹林が発達するが、夏乾燥する地中海では葉を水分の蒸散を少なくした硬葉樹林が発達する。冷温帯では、冬に葉を落とす夏緑樹林が発達する。亜寒帯では、針葉樹林が発達する。

草原では、降水量の少ない熱帯、亜熱帯ではサバンナとなり、温帯、亜寒帯ではステップが発達する。

それぞれの植物群系には、その植物やそこに棲む動物を食べる動物が棲み、地表の小動物や微生物が棲んでいる。

荒原では、降水量が極端に少ないと砂漠となり、寒帯ではツンドラが発達する。

世界の気候を植物の生育に着目して見てみると、樹木の生えていない乾燥帯と寒帯に分かれ、乾燥帯では雨量が少なく、寒帯では最暖月の平均気温が 10℃未満となっている。樹木の生えている気候は三つに区分され、熱帯は、最暖月の平均気温が 18℃以上である。温帯は、月の平均気温が 18℃未満〜−3℃である。寒帯は、最暖月が−3℃未満であるが、最暖月が 10℃あると夏地表近くの氷が溶けてシベリアのタイガの森のように夏の間、溶けた水が表面にあり樹木は育つことができる。生態系研究の沖大幹先生の研究によると年間降水量が 200〜300㎜ 無いと木の生育は難しく、200㎜ 以下だと草が生え、100㎜ 以下になると雨が降っても殆ど蒸発して草も生えず砂漠となってしまう。

③ 樹木のからだ

樹木は、葉を沢山つけた枝—茎—根が水分の経路の維管束でつながり一体となり縦の関係が強い。動物の体は、手や足を失うと生命活動に支障をきたし、サバンナでは動物の命の終りをも意味することにもなる。しかし樹木のからだを注意深く観察すると、幹の先が数本太く枝分かれをし、その分かれた幹には枝葉を付けている。分かれた幹をたどると発達した根に通じている。古木になると幹に凹凸ができ「枝葉←→分かれた幹←→発達した根」の縦の関係が読み取れる。植木屋さんが太い枝を切り庭に移植をしたり、道路工事で邪魔な太い枝を切った木を後日訪れると、切らない枝に通じる幹は太るが、切った枝に通ずる幹は弱り窪みとなり遂には枯れて腐りが入ることが多く根も枯れてくる。小山の正福寺のシダレザクラの巨木は東名道路工事で根元に側溝を造るため太い根が切られ、枝が枯れ幹が枯れて残った一本の枝と枝に通ずる樹皮が残り根につながりかろうじて命をつないでいる。熱海の木宮神社の天然記念物のクスノキは南の幹が台風で折れ、折れた幹と根は枯れ、残った北側の幹で命を繋ぎ生長している。名所や神社、仏閣等人通りの多い境内の巨木の根が踏まれ枯れた根を辿ると幹が弱り枯れて腐りが入りその先には枝が枯れて落ちた跡が残っている。また太い枝が切られると枝に通じる幹が弱って窪み腐りが入っていることがある。

樹木には根、幹、枝、葉があり根からの水や栄養分は導管を伝わって根から幹、幹から枝葉へと送られ、葉で合成されたデンプンは糖化して師管を通り導管と同じ経路にある枝、幹、根へと送られる。縦の関係は強いが幹が分かれた他の枝との横の繋がりは殆ど無いかあっても少ないのではないかと考えられる。

樹木も幼から老にかけて、幼、壮は樹形も良く生き生きと綺麗な樹形をしているが、初老に入り樹勢が衰えると根元や幹が乱れ不規則に盛り上がり、更に老樹になると幹は乱れ不規則にぶくぶくと盛り上がり窪みが目立ってくる。この現象は街路樹や舗装され狭いますに植えられた樹木ほどはやく現れる。

2. 生き物たちの生

（1）植物は育つ環境で個性が決まる

樹木は、樹木を囲む多様な環境でそれぞれの個性を持った木に生長する。風雨に晒され荒れ地に芽吹いた幼木は、周りに風除けとなる物も無く自力で風雪に耐えなくてはならない。そのため大地にしっかりと根を張り背を低くし風雪に耐え生き抜こうとする。生長は遅く、体に防菌成分のヤニをたっぷりと蓄え寒さを防ぎ病虫害から身を守り、過酷な環境に耐え頑丈な体となっている。しかし植林の森は、木が一斉に育ち10数年もすると木はお互いが風除けとなり共育ちを始める。共育ちを始めた森の樹木は、しっかりとした根を張らず、暑さ寒さもお互いにかばい合い森冠や側面を枝葉ですっぽりと包み、内側は温室状態で環境も良く生長も速いがひ弱で材質は柔らかい。台風や強風が吹くと倒れ易く折れやすい。植林した森の一部を伐採すると伐った境の木はひ弱に育っているので枯れることもありこのような姿を注意すると見ることができる。

（2）植物の光争奪

植物は空気中から二酸化炭素を取り入れ根から水を吸収して太陽の光エネルギーで葉の葉緑体で光合成を行いデンプンを合成し、体をつくり種の保存を行っている。また、分解のエネルギーで生命活動を行っている。

植物は、生長と生命活動に必要な栄養分の合成は葉で行うため、葉を太陽の光がより多く当たる方向に広げる。また、葉を着けている茎も光を求めて生長している。植物が生長し葉が茂ると後から生えた葉の陰となって光合成の効率が悪くなる。葉の生産量が葉の維持量を下回ると無駄を省くため植物は葉を枯らして落とす。また葉を沢山着けた枝も、枝全体の生産量が下回ると同様に枯らして落としている。森の中で上を見上げると森の外からは緑濃く枝葉も茂って緑豊かな森の姿も、内側から眺めると林冠だけ広げた傘の布地のように葉があり、内側の葉は殆ど無く枝のみである。葉を落とした小枝は枯れて落ちている。常緑樹のスギやヒノキの森に入ると樹木が無駄を省く見事な姿を見ることができる。

（3）森の階層構造

階層	樹高	相対照度	温暖帯	冷温帯
a 高木層	20m	100%	クスノキ,スダシイ、タブノキ	ブナ、ミズナラ、サワグルミ
b 亜高木層	10m	10%	ヤブツバキ、ヤマモモ、	イロハモミジ、ヤマボウシ
c 低木層	3m	5%	ヤブニッケイ、ヒサカキ	クロモジ、シャクナゲ
d 草本層	0.5m	1%	ヤブラン、ヤブコウジ	カタクリ、ヤマソテツ
e 地表層	0m	0.5%	コケ,菌類	コケ、菌類

地上では光を求めて植物は群落を作っている。特に森林では、太陽の光照射率の違いが高さにより違い植物の光合成の環境が著しく異なる。森の中では高木に光を奪われても少ない光量で光合成を行い育つことのできる植物が、種により垂直に光環境で階層構造をつくり棲み分ける構造になっている。

森の階層構造には、地表と地下につながる e 地表層と f 地中層という重要な構造がある。そこには、落ち葉や枯れ枝、動物の糞尿や遺骸を食べ栄養源としている生き物の小動物やカビ、キノコ類が生活している。これらの生物が落ち葉や動物の遺骸等の有機物を栄養源として食べて細かくし、最終的に無機質に分解する役割をになう。これら生物を分解者と呼ぶ。分解者の栄養源となることで地上の堆積物はきれいに分解されて土に返る。地上の植物にとってこれらの生き物が木の葉や動物の遺骸を食べ分解し、最終的に無機物に分解することで根の細胞膜を通過できる。人が機械的に如何に細かくすりつぶしても植物の根の細胞膜を通過することはできない。微生物や細菌類の分解者によって無機物に分解されて植物の根の細胞膜を通過でき必要な元素として利用できるのである。生態系は、地上の生き物と地中の生き物との相互関係で自然の生態系は保たれ成り立っているのである。

（4）植物と葉

植物は、秋も深まり葉での光合成の効率も悪くなると、落葉樹のように葉を落とし冬を越すものや葉を厚くして冬を越すものもいる。また、高山の常緑樹は葉を厚く細くして雪の積もるのを防ぎ、陰樹は互いに寄り添い密にすることで光量を調節して光合成を行っている。

（5）紅葉

落葉樹は、秋も深まり光合成の効率が悪くなると落葉して無駄なエネルギーの消費をしないようにする。落葉が始まると葉の付け根に離層を作り切り口から水分や栄養分が流出するのを防ぎ病原菌が入らないようにする。また、落葉樹は秋になり落葉に先だって緑葉が紅色に変わる。これはクロロフィルが分解して色がさめると共に細胞液中にアントシアンが形成されることで紅色に変わる。葉は気温の低下と離層の形成で糖分の移動が妨げられ、糖分の蓄積がアントシアンの形成を促す。カエデの木は、樹皮を輪状に取り除くと夏でも紅葉するといわれている。夏庭先のカエデの葉がきれいに紅葉して枯れることがある。地上近くの幹を注意深く観察すると輪状におがくずが盛りあがりカミキリムシの幼虫が形成層の甘い部分を食べている。早い時期に見つけて孔が開いているので穴に細い竹の枝を差し込み出し入れを繰り返すと駆除できる。これも樹皮を取り除いたときと同じ現象で紅葉すると考える。またイチョウ、カツラ、イタヤカエデ、ポプラの葉のように黄葉するのは、クロロフィルが分解して色があせると残っていた黄色の色素カロチノイドが目立つためである。

10月半ば富士山富士宮口を登り標高2000m辺りで左手に大きく崩落した大沢崩れが見える。この辺りの植生はシラビソ、コメツガ、トウヒの針葉樹林帯であるが、崩落して陽の光が十分に射し陽樹林となってダケカンバ、タカネナナカマド、ミネヤナギ、オオカメノキ等の陽樹の葉が紅葉して錦秋の秋を演出し楽しませてくれる。高山の紅葉は色鮮やかで見事である。

里の紅葉も秋の楽しみでもある。紅葉を楽しみたいとカエデやナナカマドを街路樹に植えるが、場所によって葉の美しい紅葉が望めない事がある。植物の葉は台風等の強風に当たると無数の小さな傷がつく。強風で傷ついた葉は美しい紅葉が望めない。落葉樹の森で周りが落葉した後にカエデの葉が澄んだ美しい紅葉をしている姿を見かけ思わず足を止める。カエデが周りの小枝に包まれ風があまり当たらない山道か谷間の木々があまり茂っていない明るい森の紅葉は美しい。京都嵐山のカエデは、イロハカエデを森の中に意図的に配置し育つ空間を設けて植栽した自然に近い環境で、周りの木々が風よけになって美しい紅葉を演ずる京都嵐山の名園である。

（6）植物の感性

森の自然観察や地質調査で急な山地を歩くことが多い。急崖地のような難所には、斜面を斜めに横切る細いけもの道がある。動物は親から子に生活の中で谷渡りの知識を教えている。深山でイノシシやシカ等の動物が良く通る道は、動物のからだが通れる程の大きさに葉や枝が伸びずに円いトンネルができている。動物が良く通る道の植物はどうして枝葉をのばさないのだろうか。

植物は光を求めて、葉や枝を生長させ水を求めて根をのばす。動物は、感覚と知性で行動し、行動はホルモンと酵素で行われている。では、植物は周りの環境や刺激をどう感じ生長しているのか。植物はそれぞれの部位でホルモンが形成され、ホルモンによって発芽、生長、開花、結実などの生命活動や種の保存が行われている。植物ホルモンと主な働きは次の通りである。

ホルモン名	所在	働き
オーキシン(インドール酢酸)	植物組織	細胞の伸長促進、花粉の発芽伸長促進、側芽、果実の成熟　単為結実
ジベレリン	未熟種子 頂芽、根	細胞分裂、種子や芽の休眠打破、開花、単為結実の促進
カイネチン	植物組織	細胞質分裂と種子の発芽促進、老化防止
サイトカイニン	種子、葉	カイネチンと同じ働き
ナフタレン酢酸、		オーキシンと同じ働き
2,4ジクロロフェノキシ酢酸		オーキシンと同じ働き
花成ホルモン　フロリゲン		花芽の分化促進

植物ホルモンは、植物の体で作られ植物体の発芽、細胞の伸長の促進、抑制、開花結実等の活動を促進や抑制を行っている。

（7）落葉樹の森も更新しないと山は荒れてしまう

昭和20年代まで落葉樹の森は薪炭材として重要な役割を果たしていた。秋に収穫も終り早霜の降りる頃になると、近くの里山や集落の共有林の雑木林から木を伐りだし、50〜60cmに切って薪割りをして各民家の軒先には1年中の燃料とする薪が綺麗に積み上げられた。また養蚕や冬の暖房用に使う炭に焼いた。炭焼きを稼業としていた人達は、年間の殆どを山での生活をし森を順に伐っては焼き、伐り倒す立木が遠くなると新たな炭焼き釜を造り移動しながら炭焼きをしていた。落葉樹の森は樹勢の良い25〜30年で伐ると切り株から勢いの良い新芽が伸び生長して自然の森に復元していく。これを傍芽更新(ボウガコウシン)といい炭焼きの森は 25〜30 年位を目安に木を伐り、25〜30 年後に再び戻ってきては炭焼きをする。こうして山地の森を絶やすこと無く上手に利用していた。しかし落葉樹の森も５０〜60年の木は、樹勢が衰え伐ると切り株は芽が出ても生長させることもできず枯れてしまう。

昭和30年代になると石油やガスが普及して燃料としての薪炭が石油、ガスの化石燃料へと代り雑木林の森は放置され老樹の森になってしまった。木も弱ると枯れてくる。森の木の勢いが良く葉がすっぽりと覆う緑の森は見事で美しいが、種子が落ち芽生えて育つ環境としては悪く次世代の幼木が育つことができない。老樹の森となり木が枯れると、若木が育っていないので蔓性の植物やバラ科、笹が繁茂して山は荒れてしまう。落葉樹の森もスギ、ヒノキの森も手入れをしないと森は荒れてしまう。落葉樹の森は更新し、スギ、ヒノキの植林の森は間伐をして残したい木の葉に十分に光が当たるようにする。光が当たらず光合成の効率の悪い下枝の切り落としをしないと森の木は弱ってくる。

3. 自然と共に森の効用

（1）世界の森

地球は、全陸地面積 130 億 ha の内森林の占める割合が急速に減少している。

年	2000 年前	1960 年	1999 年
森林面積	61 億ｈａ	40 億ｈａ	28 億ｈａ
陸地面積に対して占める割合	46.9%	30.7%	21.5%

特に 1 万 2 千年前に 16 億 ha あった熱帯雨林が 1994 年には 9 億 ha、56.2%と略半減してしまった。

（2）ブナの巨木

ブナの木一本で水田 10 アールを潤すことができるといわれている。木々がもたらす恩恵は計り知れない。富士山スカイライン裾野市水ガ塚公園の東隣に片蓋山がある。山の東麓に幹周り 3.3m、樹高 18m、推定樹齢 535 年のブナの巨木がある。生物の体は水を介して養分の運搬、貯蔵を行っている。生命活動である栄養分の分解、老廃物の搬出、ホルモン、酵素の分泌、搬送も全て水を介して行われている。そのため生物の体は水が必要であり水に満たされている。生物の体は、動物で 65%、植物で 75%が水分である。このブナの巨木には水が約 10

㎥、ドラム缶50本分の水分を蓄えていることになる。ブナは土から必要な水と栄養分を吸収し太陽の光エネルギーでデンプンを合成する。合成されたデンプンは生命活動や種の保存等に使われている。こうした活動を行うと植物は葉から盛んに水分が蒸散する。蒸散は植物の活動が活発になればなる程盛んで、山登りに空が良く晴れ上がり嬉しく気分も上々浮き浮きとして早朝に出発する。登山を始め10時頃になると麓から少しずつ霧が発生して何時しか霧に包まれ山登りをしているという経験をしたことが山好きの人はあるだろう。山の植物は太陽の光を浴びると生命活動が活発となり盛んに水分を蒸散させる。木々から蒸散した水蒸気は山の冷気に触れ凝結して霧が発生する。山歩きを趣味にしている人は写真を撮るなら山の天気は変わりやすいから午前中に撮りなさいといわれる。谷間の木々は、陽が昇り蒸散作用が活溌になると霧が発生しやすく昼頃から雲が発生して眺望ができなくなるからである。

森の効用：ブナの巨木1本が地球の環境に果たす役割は大きい

生物の体が水で満たされているのは、地球に最初に生命が誕生した場所が海の中で誕生し海という環境で生命活動を行い種の繁栄を行ってきたからと考えられている。地球の生き物は水という環境の中で生命活動を行い種の保存を図り進化多様化してきたのである。

それは生き物は水無しに生命活動も種の保存もできず、水は生き物にとり最も大切な存在となっており水無しには生命活動を行うことができない仕組みとなっているからである。この大切な水は雨によってもたらせられる。雨は空気中の水蒸気が飽和し凝結して雨となって降ってくる。水蒸気は水が蒸発して空気中に返されている。

日本では年間に降る雨水の内35%が海に流れている。海から蒸発して陸に降る雨は、陸水と海水の量及び海水の水位の変化もなく安定しているので海からの蒸発により降る雨も陸より海に流れ出す量は同じであると考えると、陸に降る雨の65%の水蒸気はどこから来るのか。河川や湖面の面積の占める割合は小さい。地面からの蒸発も砂漠で湯気の様に揺らめく蒸発があっても雨が殆ど降らない事を考えると少ないであろう。では何処から蒸発しているのか。それは植物からの蒸散が多いと考えられる。樹木のその重さの75%が水分で生命活動や光合成で多量の蒸散を行い気温が上昇すると更に活潑となる。陸地に降る雨の大半が植物からの蒸散であると考えられる。夏の暑い日に木陰に入ると涼しく樹木に囲まれた家は涼しく快適なのは植物の蒸発に必要な熱が周りの空気から奪われているからであり植物の蒸散により空気中に返される水蒸気の量は大きい。砂漠は蒸発が盛んでも雨の降らないのは植物がないからなのであって、植物が水の大循環に主要な役割を果たしていると考えられる。

＊森が水を生む……巨大な水蒸気の流れ

ブラジルのアマゾンの熱帯雨林から西のアンデス山脈に向かい、アンデス山脈の東を南に向きを変え南下して流れる巨大な水蒸気の流れが20世紀末に発見された。ブラジルの気象学者ホセ・マレンゴ先生は、大気の流れは幅数百km、長さ数千kmでその量はアマゾン川の流量を上回る量であり、雲の発生は熱帯雨林から始まっているという。水はH_2Oでできている。酸素には^{18}Oと^{16}Oがあり森から発生する水蒸気は海からの水蒸気より^{18}Oの量が多く巨大な水蒸気の流れは^{18}Oが多いという。興味深いのは世界的にも北緯30度と南緯30度は地球大気の大循環のハドレー循環で高圧帯となり世界の砂漠が広がっている。ところが南アメリカのパラグアイとアルゼンチンには緑が広がり肉牛や小麦の生産輸出地となっている。また、イグアスの滝もある。イグアスの滝は幅約4km、落差約70m、1.3万トン/秒の大量の水が流れる水量が世界一豊富な滝である。

アリゾナ大スコット・サレカス教授によれば、樹木が光合成に必要な水や養分は根から吸収され送られる。根には菌根菌が1㎡で最大1千kmに及ぶ長さの菌が共生していて必要な成分と水を樹木に送り込むが、水が光合成に使われる量は極僅かで殆どが蒸散されるという。熱帯雨林の樹木は1haで1日に30tの水を蒸発する。1本の樹木が1000ℓ/日の水を蒸発すると4千億のアマゾンの樹は170億トン/日蒸発していることになり、これが雨となり地球に恵みをもたらし森が水の大循環に重要な役割を担っていたのでした。水蒸気の流れは、地球の各地であり人工衛星からも確認されている。

ケヤキの葉1㎡で年間2.6kgの二酸化炭素を吸収するという研究

がある。ブナも同じ割合で吸収すると考えるとブナの巨木には葉が20 万枚あり、葉が 730 枚で 1 ㎡となるのでブナの巨木 1 本が年間71.2kg の二酸化炭素を吸収して、産業革命より現在空気中の二酸化炭素量が 30ppm 増加しているので空気中に二酸化炭素を吸収して地球の大気の 43222.3 ㎥の大気を浄化して産業革命以前の大気に戻すことになる。つまり 1 ㎦の大気の浄化はブナの巨木 2.3 本で可能となる計算となり樹木が地球温暖化防止に重要な役割を担っていたのである。しかし樹木は経済的価値を失い林業も生計を立てるには収益も上がらず森林経営は低下し手入れをされず放置され伐採され、焼き畑農業で森林面積は世界的に減少し、大気中の二酸化炭素量は増加し温暖化が進み南極及び北極の氷が溶け、空気中の水蒸気量は増している。加えて海水温の上昇は更に水蒸気量を増加させ世界的に、異常気象が起き災害は拡大し台風が発生すると直ぐに巨大化して各地に豪雨、強風による災害や土砂災害を起こしている。生き物が棲息する地球環境は地球の遙かなときの中でつくられ生き物たちは環境に適応し種が繁栄してきたのである。地球環境の安定と生き物たちの棲息場所としての環境の主役は、緑の植物であり緑を失うことは環境を悪化させその生活空間を狭める結果となってしまう。樹木の経済的価値は低くとも生き物が生活環境として果たす価値は計りしれぬほど大きい。生き生きとした森にするために手入れや失った緑を復元をしなくてはならない。

（3）森の果たす役割は大きい

① 森は水資源を涵養する

降雨を土中に蓄える保水力は、裸地で 49.6%、草原で 98.1%、原生林で 99.6%と植物が生えていることで保水力は格段に増してくる。

② 山崩れを防ぐ

森の樹木は土の中に根を張り土中から水分や栄養分を吸収すると共に風雪から守るため地中にしっかりとした根を張り土を抱えている。根は急崖地や瓦礫地では、立派な根を張り地面を被い瓦礫を抱え風雪から守っている。

③ 風の害を防ぐ

森があると森の風下で樹高の 30 倍、風上で 5 倍の防風効果がある。昔の家屋には屋敷の周りに木を植え台風や強風から家を守る防風林があった。タイの海岸にはマングローブの森があって、そこにはエビやカニ、魚が棲み豊かな魚貝類の棲む漁場であった。昭和 30 年代エビの養殖場としてマングローブの森は伐採され海岸はエビの養殖池として次々に拡げられた。その結果一時は養殖による収入はあったが、より収益を上げるために過密なエビの養殖を行い水の汚染と病気の発生が起こり衰退してしまった。マングローブの森を失った事で昔は無かった台風や高潮の害を受ける災害国となってしまった。平成 10 年代に入り各種支援もあり植林が進められ徐々に森は回復しつつある。

④ 吹雪や雪崩を防ぐ

森は吹雪の勢いを弱め森に雪を積もらせる。また斜面に降った雪を滑らせない杭の役割をしている。

⑤ 森は気温の差を和らげる

森や草原の植物は、夏の日中陽が射すと盛んに光合成を行い水分を蒸散する。水分が蒸散する時水は周りから水 1g につき 539cal の気化熱を奪う。夏に木陰に入ると涼しいのは樹木が盛んに水を蒸散して回りから熱を奪っているからであり気温の上昇を抑えている。また冬期気温が低くなると、森の植物は呼吸をしているので人の体温同様に発熱し外気に放熱している。冬期雪に埋もれた樹木の周りが円く雪が解けているのは樹木の呼吸熱のためである。冬寒風に晒され尾根歩きをして冷えた体も森に入ると寒さが和らぎ暖かくなるのは木々の呼吸熱のためである。このように樹木の生命活動が気温の較差を和らげる役割は大きい。

（4）水生植物の持つ湖沼、河川の浄化力は大きい

琵琶湖、諏訪湖や各地の湖沼で、工場や家庭からの雑排水の流入により湖水や河川の汚染が進み問題となった。ヨシやマコモが生えて

いる水辺は、冬期に水中の枯れ葉や茎にねっとりと微生物が繁殖している。この様子は一見水の汚濁の原因と考えられ、大規模なヨシ、マコモ、更には岸辺のヤナギまで抜き取られた。しかし汚染は更に進んでしまった。枯れ葉や枯れ枝、動物の遺骸や糞尿を食べ栄養源としている小動物や昆虫、細菌類が土や水の中にはいる。微生物や細菌がいて最終的に無機質に分解する。無機質は水中のプランクトンの餌となり、地上の植物に吸収され自然の中の生き物たちにより循環しているのである。その後、湖には水生植物が植えられ汚れは少しずつ改善された。小山の鮎沢川にはマコモが良く生え、上流の水の汚濁も改善されているのかマコモの中に毎年子育てをするカルガモの姿がある。ヨシ一本で年間ドラム缶一本の汚水を浄化する。汚れた河川水や浄化槽の水は、水生植物が生える池に引き込み自然の浄化力を使って浄化してから川に戻すことを進めることが必要である。

（5）人類の誕生「人類の歩いた足跡に砂漠が残った」

人類は約 500 万年前にアフリカに誕生し、狩猟採集生活をして西へ東へと食料を求めて各地に移動した。一部の種族が 1 万 2 千年前にシリアのユーフラテス川の河畔で定住生活を始めた。地球の気候の氷期が終息に向かった 1 万 3 千年前から地球の気候は温暖湿潤な気候に向かい草原が縮小して森林が拡大していた時代である。森にはオリーブやピスタチオ等の果物が豊富に稔り、ユーフラテス川の水を求めてやってくるガゼルや山羊等の獲物にも恵まれていた。定住を始めた人類の祖先は生活が安定し人口も増加した。定住生活は居住は安定するが必要な獲物や木の実も次第に近くでは得られなくなり食料不足に悩まされてきた。加えて天候不順による飢饉にも度々見舞われた。やがてこぼれ種が芽を出し生長して実がなることを発見し農業技術を身に付けた。そんな自然の中の生活で新たな工夫や農業牧畜の技術を改善して危機を乗り越えた。生活、文化の向上は農業、牧畜技術の向上であり、土地の生産性を上げる工夫でもあった。森を伐り草原にして家畜を飼い、草原は草を取り除き畑にして耕地を広げていった。更に収穫量を上げるため灌漑農法もシリアでは始まっていた。しかし農耕地は永年の酷使で土地は痩せ貧土になってしまった。痩せた耕地は放置され新たな土地が次々と開発された。放置された土地は地力を失い荒れ地となりやがて砂漠化して行った。こうしてチグリス川、ユーフラテス川の二つの大河に挟まれ豊穣な地に発展したメソポタミア文明や黄河流域に発展した黄河文明も衰退し人が去り放置された土地は荒れ地となり砂漠化してしまった。人類文化の歴史を辿ると人類が都市を築き文化を発展した足跡には砂漠が残ってしまったのである。日本のように耕地や使わない施設を放置しても草や木の実が運ばれ芽吹き、草が生え木が生えてやがて森となっていくという土地に回復力がある恵まれた環境にある土地は世界では希で面積も少ない。世界の殆どの土地は、放置すると荒れ地となり砂漠化してしまう環境にある土地が多い。

（6）灌漑農法と塩分の集積

世界の乾燥地帯で暮らす人々は荒れた土地で生産が上がらず生活が苦しい。生産を上げる工夫として灌漑農法を行っている。灌漑農法は生産を上げるために有効な方法だが、過剰に灌漑をすると一時的に生産は上がるが、地下の塩分が過剰な灌漑水で少しずつ溶けて毛管現象で徐々に地上に上がってくる。水は植物に吸収されるが塩分はそのまま地表に残り次第に集積する。塩分が集積した土地は農作物は育つことができない不毛の土地となってしまう。一旦塩分が集積した土地は元に戻すことは不可能に近く、エジプトのナイル川のデルタ地帯は毎年の氾濫によりもたらされた肥沃な土壌もアスワン・ハイダムの建設で堰き止められ、かつて豊穣な恵をもたらしたナイルのデルタ地帯は過剰な灌漑農法で塩分が集積し現在は耕作不能地と化し荒廃してしまった。海岸はナイルが運ぶ流砂が止まり海岸侵食が進みその対策費が発電による収益に迫る程である。

世界には地球の地殻変動により地下に塩分が多く含まれる土地が多く特に乾燥地帯に多い。灌漑農法は乾燥地帯で多く行われている。土地の開発や過度な灌漑農業等土地の環境を考慮しない開発や利益優先の開発は、荒れ地や砂漠を広げ世界の気候変動の要因なり世界規模の気候異変へと繋がり世界各地に気象異変が起き様々な災害へと繋がっている。

（7）フィリピンの森はラワン木を伐って禿げ山となった

昭和初期の家屋は木造づくりで、学校の講堂や地域の集会所、芝居小屋等の大型建築には屋根を支える長尺の梁材が必要であった。こうした長い木材は日本産では得がたくフィリピンのラワン木が着目され、日本の木材会社は昭和 30 年代頃まで現地に出向きラワン木を伐採して輸入した。フィリピンの熱帯雨林の山には天を突くようなラワンの巨木が生えていて材質は硬く建築材として優れていた。しかし、森には木材として価値ある巨木は 1ha 当たり 7 本位と数が少なく、伐出すのにブルドーザーで目的地のラワン木まで森の木を押し倒し伐り倒して道を造りラワン木を伐採して運び出した。そして次のラワン木を伐るのに同様に道を造りラワン木を伐り運び出した。

数年後ラワン木を伐り出した山を訪れると、山は荒れ禿げ山となってしまっていた。そして年に何回ともなく台風に襲われるフィリピンでは、強風雨や台風の度に洪水や土砂災害に悩まされる災害大国になってしまった。

地球の砂漠化：熱帯雨林の巨木は地中に張る根は浅く板根で支えている

地球の砂漠化：オーストラリアのユーカリの森の士は貧土で草が生えていない

日本人の感覚では熱帯雨林の木材を伐採しても数年もすると、直ぐに草が生え木が生えて森となり回復して直ぐに元の熱帯雨林の森に戻るのではないかと考えるが、フィリピンでは山は荒れ禿げ山となってしまう環境にある。それは道を造るときになぎ倒された木や伐り倒された切り株は、切り口や傷口からムカデやシロアリ等の旺盛な食欲で食べられカビ、キノコの餌となり僅か 3 ヵ月くらいで食べ尽くされてしまう。通常の熱帯雨林の森では、分解された無機物は森の植物の栄養源となり吸収されるがなぎ倒され切り倒された山地では傷ついた倒木や切り株が旺盛な虫や微生物の餌となり分解して無機質となると、熱帯では雨が多く毎日降るスコールで分解された無機質は水に溶け植物に吸収される前に洗い流されてしまう。地肌が露出した荒れた伐採跡地で草や木の種子が芽生え生長するのには日数がかかり、吸収される前に分解した無機質は殆ど流されてしまい土地は植物が育つことのできない貧士となってしまっている。

普段の熱帯雨林の自然の森では、枯れ枝や朽ち木、動物の糞尿、遺骸等は、虫や微生物の旺盛な食欲により食べられ更に細菌類により無機質に分解されると直ぐに森の植物に吸収され土の中に殆ど残らない。そのため熱帯雨林の森の土には通常肥料分となる無機質は殆ど無くあってもせいぜい地中 10～15cm 程度と浅い。そのため熱帯雨林の樹木は、地中に深く根を張り栄養分を吸収する必要が無く雨も多いので根は地中深く張らず短くせいぜい 1.5m 程度である。風に対しては樹木が密集しているので互いに風除けとなり共育ちをしている。巨樹を支えるのには地上に長く根を張り板状にして体を支えるので板状の盤根が発達している。

日本の気候では落ち葉が朽ちるのに１年、小枝が朽ちるのには数年掛りゆっくりと分解しているので、種子が落ちて芽生え育つのに日数が掛っても分解がゆっくりなので植物は生長に合わせて土より養分を吸収し育つ事ができる環境にあるのである。

（8）熱帯雨林の土と樹木

「アマゾンの熱帯雨林は焼き畑で砂漠に、地球の緑が失われ砂漠化が進み温暖化、異常気象と様々な異変が起きている」

ブラジル政府が熱帯雨林のアマゾンの森を生活困窮者に無償で分配し農業により自立生活をする計画を実施した。分譲された土地に入植した人々は、簡易な焼き畑で農業を試み森の木を伐採して乾燥させ火をつけ灰にして灰を肥料に種を蒔く焼き畑農業が盛んに行われた。燃え上がる火炎が宇宙からも観測される程大規模な焼き畑でした。しかし収穫は期待に反して上がらず僅か数年で土地は植物が全く育たない不毛の土地と化してしまった。元々熱帯雨林の土地は肥料分が無く大規模な、焼き畑農業による灰は雨の多いアマゾンでは作物に吸収される前に流されてしまう。アマゾンの熱帯雨林で農業を行うのには先住民が行う農法のように自然の森の一部で自然を壊さないように農作物を栽培する。数年栽培したら5〜6年は放置してその土地を元の自然の姿に回復させる。自然を壊さない農法で行わなくてはならず自然の草や木と共存する農法で野菜や果物を栽培する環境で行わなくてならない。広大な森を一斉に皆伐して行う焼き畑農業は熱帯地方では自然の回復力を超え土地を荒廃させてしまう。世界の農業や土地の開発は場所によって環境要素が異なり様々である。環境を無視した農法でなく環境に配慮した農法や開発を行うことが大切である。日本では荒れた土地を放置しても自然に草が生え木の種子が運ばれ芽吹いて林となり森となって回復する土地は世界的にも少ない。世界でもメコン川流域位で殆どの国は土地を長く利用したり生産を上げるために酷使すると生産は落ち収益の上がらない土地となり放置すると草も生えず荒れ地となり砂漠化が進んでしまう土地が多い。

（9）植物と人

「人は緑色植物の恵の中で生きている」

生き物の基本的営みに恒常性の維持と種の保存がある。生き物は周りの環境の変化に対して、常に自己の健康状態を最良の状態に維持しようとする働きがある。人は病原菌が入ると血液の中の白血球が働き殺菌したり、抗体ができて免疫が働き病原菌の繁殖を防ぎ健康を維持している。植物も同様に病原に対して防御する仕組みがある。風で葉が傷つき、虫に食べられ傷つくと傷口から病原菌が入り冒されないように盛んに殺菌物質を放出する。これが木の葉の匂い、草の葉の匂い物質である。この現象を1930年モスクワ動物園実験生物研究所のトーキン博士がフィトンチットと命名され発表された。植物は葉が風や虫に食べられ傷つくと傷口からある種の芳香物質を出して周りの空気中の細菌類を殺菌する。これは植物に備わった病原菌に対する防御システムであり、植物が持つフィトンチットである。フィトンチットは揮発物質だけでなく植物の液汁にもあり、乾燥しても残っている。植物相互には共栄関係を保ったり相互に抑制し合う他感作用がある。自然の中では植物遷移の過程で前に生えていた種を追い出したり、連作を嫌う作物は自己抑制物質が他感作用と同様に自分に悪影響を及ぼしていると考えられている。昆虫が特定の植物を食草としているのは、その植物が持つフィトンチットを友好物質に転化したからである。

植物が持つフィトンチットはテルペン系物質である。

テルペン系物質	ジテルペン $C_{20}H_{32}$	モノテルペン $C_{10}H_{16}$	セスキテルペン $C_{15}H_{24}$
存在物質 効　　用	脂肪酸フィトール 殺虫、血圧効果 抗腫瘍性	性油 麻痺性、強壮、駆虫 鎮静	性油　苦味素 強壮、鎮痛、駆虫 抗炎症性

森の中に家を建て住んでいると病弱だった人が改善される。かしわ餅、さくら餅、笹餅は餅を植物の葉で包み植物の葉の持つ風味とその殺菌効果を経験的に利用したものである。植物が出す揮発物質フィトンチットは周囲の細菌類を死滅させたり生育を阻害する。この働きは人の病気の予防や治療に効果があり、傷や病気になると細胞

性免疫が働き標的となる病原菌にキラーT細胞が働く。これを56%も活性化するという研究もある。日本には森林浴としてその効果が紹介された。また森に入ったとき清々しさや疲れた脳がスッキリとするのはフィトンチットが人の脳細胞を刺激して、神経を安定化したり疲れた脳細胞を賦活させ精神を安定化するためと考えられている。

人類最古の定住村落がシリアのテル・アブ・フレイラの1万2千年前の地層から発見され発掘調査が行われた。遺跡から150種の植物の種子が発見されその中にコムギやマメの種子が発見された。人類の祖先はこの時代から今日の主要な食料となっているマメやコムギという食物を選び栽培していたのである。農業技術を身につけた人類の祖先は新たな食料となる植物や木の実を求め試行した。同じ食料の中で美味しさの違うことに気づき、食べやすく美味しい食料となる食料選びと改良が試みられ品種改良が始まった。品種改良は山野草が持つ苦み、えぐ味、臭気、辛み等の成分が落とされ口当たりが良く甘く、酸味も薄く、苦みも抑えられる等で淡白な味へと改良された。その結果山野草が持つ苦み、辛み、臭気等の成分は、植物が地球創世46億年生命が誕生し進化、種が多様化する過程で獲得した自然の中で病原菌や害虫から種を守り命を繋いできた自己防衛の成分を改良により捨てる結果となってしまった。外敵から自己防衛の成分を失った野菜は虫が付きやすく、病原菌に冒され易く、もはや農薬や人の管理の手助けが無くては自力では育ち難く弱体化した野菜となってしまったのである。

野草と野菜の違いは何か、と問うと野菜は栽培され野草は自然の中で育った物、と答える。では、ワラビやフキを栽培すると野菜となるか。それは否である。野菜と野草の違いは、野菜と野草を根を切り離しそのまま置くと野菜は黄ばみやがて腐ってくるが、野草はしおれ乾燥するが腐らない。田んぼの土手の草刈りをして草を放置しておくと乾燥して干し草になるが腐らない。これも野草が進化の過程で獲得した自己防衛のフィトンチットのお陰である。この成分は人に対しては有効に働き、利用されているのが生薬で害を及す物が毒草である。苦み、えぐ味等の成分を持つ山野草を山菜として食べると何かしらの薬効がある。

（１０）山野草

① 山野草の食べ方は、生食、茹でる、天ぷらにして食べる。タラノキの芽・・糖尿病　フキ・・咳止め　ヨモギ・・健胃　ドクダミ・・利尿、便通　ユキノシタ・・小児引きつけ　アシタバ・・消炎、解熱、はれもの

② 天ぷらの食材：ヨモギ、ウドの若葉、タラノキの若葉、イワタバコ、ウコギの若芽、ニワトコの若葉、カキドウシ、コシアブラ、アザミ、タンポポの花、セリ、ニセアカシアの花

③ 茹でて食べる食材：ヤブカンゾウ、セリ、オランダタガラシ、オオバギボウシの若葉

④ 乾燥して生薬として服用する

ウツボグサ：口内炎、扁桃腺、煎じてうがい薬　アジサイ・・解熱花を乾燥煎じ薬

ゲンノショウコ：下痢止め、便通、煎じ薬　センブリ・・健胃、胃腸の傷の痛み煎じ薬

⑤ 滋養、強壮飲料の作り方

ア、ウメのエキスの抽出

ウメのエキスの抽出には、7 月ウメが熟す少し前に青ウメを収穫して水気を除き（青ウメ 1 升＋米酢 1ℓ＋砂糖 1kg）の割合で果実酒の瓶に漬ける。冷暗所に 3 ヵ月位置くと飲める。飲み方コップに少量とり水で薄めて飲む。薬効かぜ、疲労回復、健康保持

イ、各種エキスの抽出

a イカリソウ

（イカリソウ＋35 度のホワイトリカー）に漬け込み冷暗所に 3 ヵ月以上漬け込む。イカリソウは 5 月花の終り頃に葉柄ごと刈り取り数日陰干しして漬け込む。強精、強壮

b カリン

（カリン＋35 度のホワイトリカー）カリンは秋黄色く色づいたら収穫して輪切りにして漬け込み 3 ヵ月位冷暗所に置く。咳止め、疲労回復

cナツメ

(ナツメの実+35度のホワイトリカー)ナツメの実は秋茶色に熟したら収穫して日干しをして乾燥し漬け込む。滋養、強壮、鎮痛

(11) 樹木のからだ

樹木は、葉(枝)を中心とした茎、根が一体となり縦の関係が強い。

動物の体は、手や足を失うと生命活動に支障をきたしサバンナでの動物には命の終りをも意味することにもなる。樹木のからだを注意深く観察すると、幹から数本太く枝分かれをしその分かれた幹は、それぞれに枝葉を付け、幹に通ずる根が幹毎に肥大している。植木屋さんが太い枝を切り移植をしたり、道路工事で邪魔な太い枝を切った木を後日訪れると枝に通ずる幹が弱り周りは太るが窪みとなり遂には枯れて腐りが入ることが多く、それに通ずる根も枯れてしまう。小山の正福寺のシダレザクラの巨木は東名道路工事で根元に側溝を造るため太い根が切られ枝が枯れ、幹が枯れて残った一本の枝と枝に通ずる皮が残り根が伸びかろうじて命をつないでいる。熱海の木宮神社の天然記念物のクスノキは南の幹が台風で折れ折れた幹と根は枯れ、残った北側の幹で命を繋ぎ生長している。また名所や神社、仏閣等人通りの多い巨木が根元が踏まれ枯れた根を辿ると幹が弱り枯れて腐りが入りその先には枝が枯れ落ちた跡が残っている。また太い枝が切られると枝に通じる幹が弱って窪み腐りが入っているこ

とがある。

樹木には根、幹、枝、葉があり根からの水や栄養分は導管を伝わって根から幹、幹から枝葉へと送られ、葉で合成されたデンプンは糖化して師管を通り導管と同じ経路にある枝、幹、根へと送られる縦の関係は強いが幹が分かれた他の枝との横の繋がりは殆ど無いかあっても少ないのではないかと考える。

樹木の幼から老を見ると、幼、壮は樹形も良く生き生きと綺麗な樹形をしているが、初老に入り樹勢が衰え根元や幹が乱れ不規則に盛り上がり、更に老樹になると幹は乱れ不規則に盛り上がりぶくぶくとし窪みが目立ってくる。この現象は街路樹や舗装され狭いますに植えれた樹木ほどはやく現れる。

4. 生き物たち

（1）ソメイヨシノの老樹「ソメイヨシノの老樹も傍芽（ボウガ）で若返る」

小山町の鮎沢川の川辺には、ソメイヨシノの 60～70 年の老樹が 4 月には毎年見事な花を咲かせ楽しませてくれる。町でも時折そのサクラの手入れをし大切にしている。サクラは老樹で太い枝が枯れ太い幹を残して小枝は既に落ちている。しかし枯れた幹の脇から勢いの良い新芽が伸び新芽に通ずる新たな幹が盛り上がり根も勢いよく肥大している。サクラの老樹もこの傍芽を木全体を見て調整をして育てれば命をつなぐことができる。富士宮市狩宿の源頼朝が富士の巻き狩りでサクラの木に駒をとめたという天然記念物の駒止のシロヤマザクラは、台風で太い幹が折れたが傍芽が生長して見事な花を咲かせている。

（2）風と樹形

アメリカ南部のロッキー山脈クレステッドビュート山(3658m)は風が一年を通して少ないのか 15～20m のトウヒが森の中から抜け出したかのようにスックと直立して山頂付近にまばらに生えていた。日本の山岳地帯の森は岩肌がむき出し、樹木は寒風に晒され背を低く頑丈な根で岩場を抱え盆栽風の樹形をしている。風が少ないのかオレゴン州の低地の落葉樹の森にケヤキのように枝先を伸ばしている木があり近づき調べると別の種類だった。ベイマツの森もどの木も直立して綺麗に生長し 50m の高い立派な森になっていた。日本のように新芽が伸びる 4～6 月にかけ比較的強い風が吹き若い新芽は抑制され短い小枝が年々重なり葉を付けるとこんもりとした樹形となる。樹木の樹形の特徴も風という環境で大きく変るものである。

（3）桜の巨樹にはヒガンサクラが多い

サクラの巨樹の圧巻は、山梨県武川村の実相寺の天然記念物山高の神代桜エドヒガンザクラ目通り 10.6m、樹高 9m で古道具の上に鎮座した奥深い芸術品である。塩山市雲峰寺のエドヒガン目通り 6m、樹高 20m サクラとしては背が高く見事である。岐阜県根尾谷の淡墨桜エドヒガン目通り 9.2m、樹高 17.3m、推定樹齢 1500 年の老樹は地元の人達の熱意で根接ぎをして賦活させ守っている。各地のサクラの巨樹、巨木を訪ねるとエドヒガン、シダレザクラが目に付く、これは山野に自生するウバヒガンで別名エドヒガン、アズマヒガンと呼びシダレザクラはこの園芸種であるという。ウバザクラは葉(歯)が無い時に咲くので姥になぞらえて名が付けられたのである。

（4）樹木の凍結

富士山標高 2000m 須走口五合目の森に入るとシラビソの幹が縦に裂けひび割れをしているのを見かける。これは酷寒の冬期シラビソの樹液が凍結し朝日が射し込み森の気温が上がると個体の氷は膨張する。氷は温度が上がると溶けるが凍結している温度が低いほど固体として膨張する幅が大きくなり気温が上がった 10 時頃になると大きな音と共に幹は裂ける。裂けた後シラビソは傷口から病原菌が入らないようにヤニを出して傷口を修復する。長野の琵琶湖周辺の森は冬の寒さが厳しく木が凍結により良く割れ、製材した板材を見ると縦に裂けた割れ目にヤニが詰まり傷口を修復している木を見かける。

（５）里山と有機農法「有機栽培の野菜は甘くて美味しい」

　昔は家や農地の近くには里山がありナラ、クヌギ、イヌシデ、クマシデ、サクラ等の落葉広葉樹が植えられ木材は成長すると薪や炭に焼き燃料として利用していた。クヌギ、コナラはキノコ栽培に使いキノコを味噌汁の具として食べた。山の斜面で陽当たりの良い場所で根元より細く真っ直ぐに細い幹を伸ばす低木のカマツカは、乾燥すると丈夫で軽く鎌の柄や石工の大ハンマーの柄や杖に利用した。鎌の柄(つか)に使ったことよりカマツカの名が付けられた。また生の内に折り曲げ荒縄で縛り乾燥して背負子(ショイコ)に利用した。また牛の鼻の間に穴を開け鼻輪を付けるときこの木を削って尖らし使ったことより別名ウシコロシとも呼ぶ。また里山の森には春浅い早春には、木が芽吹く前に急いで花芽を伸ばし子孫を残しているスミレ、シュンラン、エビネ、クマガイソウ、カタクリが可憐で澄んだ色づかいで花を咲かせ森を彩り楽しませてくれる。草花の中にはウバユリやユリ科の多くは森の木々の葉が茂り林床に陽が射さなくなると地上部は枯れ球根や地下茎を残して夏眠に入るものも多くある。早春の落葉樹の森には、森の木の葉が茂る前の短い間を利用して生きる草花たちが環境に適応し自然と共に生きる生き物の世界がある。

落ち葉は集められジャガイモやサツマイモの栽培に利用した。田んぼの周りには土手や草原があり春になって田植えの時期になると草を刈り取り米作りの肥料とした。山には共同の草刈り場があって馬草が生え刈り取り、馬に食べさせたり馬小屋に敷き踏ませて畑や水田の肥料にした。草刈り場にはワラビ、ゼンマイ、フキが生え、またウドやタラノキも生え山野草採りをして山の恵みを頂いた。里山には人々の生活に結びついた多様な植物が生えていた。しかし昭和 20 年代後半から化学肥料が普及し手間が掛らず少量で農作物が栽培できて省力化が進むと草も刈らず木も利用されず放置され里山は次第に姿を消してしまった。

（6）田んぼや家の周りの木

昔の屋敷の周りには風除けにスギやヒノキを家を囲むように植え、内側に竹、ウメ、栗、柿、プラムが植えられ子供の頃果樹が稔るのが楽しみであった。落葉樹は夏は繁って木陰を作り葉からは盛んに水分が蒸散して周りから気化熱を奪うので涼しい。近年のように高温注意報が頻繁に発令され熱中症が多発すると樹木の持つ恵の有り難さを強く感じる。熱中症対策にクーラーの設置が進められているがクーラーは暑さ対策には有効だが快適さに閉じ込められた部屋に過ごし過ぎると皮膚の温度調節の機能が衰えひ弱な体になってしまう。

暑さ対策と共に自然の陽の光を受け仕事や運動することを忘れないように心掛けなくてはならない。落葉樹の庭木は夏は葉陰で涼しく、冬は葉が落ち陽が射し快適である。夏になると庭木も枝葉が茂り密集して風の通りも陽の射し方も悪くなる。庭木も生長し茂ってくると風通しも悪く光も当たらず葉の組織も発達しないひ弱な薄っぺらな光合成機能の悪い葉となり樹木は弱り枯れてしまう。風通しを良くするため剪定や枝打ちを絶えず気を配って行わなくてはならず手が掛る。しかしこれも体を使うことで健康を頂くと思えば有り難い。秋の落ち葉や枝打ちの枝葉、落ち葉は土に埋めるか畑の肥料とする。枝はチップにしてお茶の根元に埋める。植物の葉や枝は土に返すことが本来の自然の在り方でゴミではなく、ゴミは人工的に作られ使えなくなった物再生できない物であり、落ち葉や切り枝はゴミとして焼却するという考えは自然の在り方ではない。

（7）葉と気候

冬の寒さの厳しい札幌に 10 月に訪れたとき、街路樹に植えられたハルニレ、ニセアカシア、プラタナスの葉が大きく立派なのに驚き近寄り小枝を手にしばし観察をした。周りに目を移し庭の木々の葉を観るとライラック、ウメ、プラタナスの葉が同様に大きい。プラタナスの葉を一枚戴き小山町の葉と比較すると札幌の葉面積 499㎝^{2}、小山の葉面積 114㎝^{2} と約小山の５倍の大きさでした。郊外のフキもイタドリの葉も驚くほど大きい。イタドリは富士山の高地に生えるオオイタドリと同種かも知れないが大きい。フキの地下茎を採集して小山に植え観察すると葉の直径は30cm、北海道の葉60cmの1/3に小さくなり年々少しずつ小さくなっていくように感じた。これは寒さが厳しく生育期間の短い植物が葉を大きくして効率よく光合成を行う生命現象の表れかも知れないとその後各地を旅する度に関心を持ち観察をすると、西オーストラリアのパースで街路樹を遠くから眺めるとカエデが植えられている。何種かなと思い近づくとプラタナスで幹が淡緑色の灰色で艶のある特徴ある樹皮だった。岩手県釜石市を旅したとき宿でここの冬の寒さは厳しいですねと話しかけると、はい寒いですよ、どうして分かりますかと聞き返され、木の葉が暖かい所と比べて大きいからと答えると不思議がられた。山梨県韮崎市は、四面山に囲まれ冬期甲府盆地は周りの山々に雪が降るが、甲府盆地には意外に少なく殆ど積もることは少ない。しかし山で冷やされた冷気が重くなり盆地に溜まる冷湖現象で冬は寒く風が加わると更に厳しい。春ニセアカシアの花が咲く頃訪れると御殿場の葉に比べ複葉や花は大きく立派だった。

（8）巨樹、巨木の樹高

巨樹、巨木を訪ねると御殿場市の柴怒田子神社の宝永のスギ目通り7.25m樹高33.54m、川柳浅間神社の扶桑樹目通り5.45m樹高33.42m

あり、共に巨樹が天を衝きどっしりと盛り上がった根を張りご神木として鎮守の森の主として鎮座している。隣の山梨県上九一色村の諏訪神社の精進の大スギは目通り 10.4m 樹高 40m、同じく山梨県早川町の山王神社の湯島の大スギ目通り 11.1m 樹高 50m と共に幹の太さも高さも大きく遠くから眺めても立派で周りから際立ち威厳がある。御殿場は高原で平坦で風当たりの良いのに山梨の森は四囲山地に囲まれ樹木は育っているので巨樹が多い。静岡県伊豆天城の太郎スギは目通り 9.6m 樹高 48m と深い山に囲まれた大杉で背が高く幹も太く立派に成長している。

（9）屋久杉

屋久島は、九州佐多岬から南に 60km の東シナ海と太平洋の間に聳える周囲 130km、面積 500 ㎢の島で、島の中央には九州の最高峰宮之浦岳が聳え、全島が花崗岩の島で北緯 30 度 20 分の位置にあり、黒潮の流れで海には珊瑚礁が拡がり熱帯魚が泳ぐ暖かな海である。気候は亜熱帯から標高 2000m の宮之浦岳では亜寒帯で気温の差が大きい気候帯となっている。海の中に衝立のように立つ島で気象の変化は激しく、島特有の湿った空気と大陸と太平洋の気圧の狭間で島の気象変化は激しい。月に 35 日は雨が降るといわれる程雨が多く、晴れていても島のどこかで雨が降っているといわれている。亜熱帯から亜寒帯までの高度差による植生の変化が見られる独特の島である。

屋久杉は、標高 600m の照葉樹林の森から山岳地帯まで見られ、島では 1000 年以上を屋久杉と呼び以下を小杉と呼んでいる。

発見された最大は、縄文杉で、幹周り 16.4m、樹高 25m、推定樹齢 2000 年以上で、島には縄文杉クラスの巨樹やそれ以上のスギがあると言い伝えられている。2016 年小原比呂志山岳ガイドを中心に調査隊が結成され調査を開始した。島は全山花崗岩の島で、急な雨が降ると谷川はあっという間に増水して氾濫をする。各地で土砂崩れが起き山は侵食され岩盤が露出したり崩落して急崖地となっている。森は落ち葉や枯れ枝、倒木が横たわり、堆積物に隠れた岩の落とし穴があり危険でありよほど山に慣れた人でも調査に入るのは大変である。調査に入る山岳地帯は殆ど人跡未踏地で困難を極めた。スギは通常年に 1cm 幹が太るが寒さと土の栄養分の乏しい岩場に育つ屋久杉は年に 1mm 程度と成長が極めて遅く、木部には抗菌作用のあるヤニの成分がいっぱい詰り腐り難い。家具や装飾品に加工すると木目が美しく抗菌性のある木材は長持ちする。調査で、天空谷で発見された天空スギは幹周り 12.43m、水が集まる沢の平らなところで発見された。幹周り 12.43m と川の近くでかく乱がおきる場所でも大きな岩石を抱きかかえるように幾多の周りの災害から免れ生き延びたスギの巨木であった。現在まで調査された幹周り 10m 以上の巨木は 16 本あった。

屋久杉のような天然杉はどんなところに生えるか。天然ヒノキは、富士山では、溶岩流が流れた溶岩の岩塊が積み重なり土は薄く、水分の乏しい標高 1000m 前後の高地に生えている。静岡県では富士山スカイライン水ガ塚公園近くの小天狗溶岩流と裾野市須山の十里木に生えている。山梨県には青木ヶ原に3000haの広大な溶岩流の上に樹齢300〜600年生の天然ヒノキの見事な原生林がある。同じく昇仙峡の花崗岩の岩山、甲斐駒ヶ岳の山頂近くの岸壁に岩を抱きかかえるように生えている。いずれも土が殆ど無い場所の岩場で水と肥料分の乏しく冬の寒さが厳しい過酷な条件下に生えている。スギは日本では青森から南九州まで広く見られ、各地の神社の鎮守の森や寺院にはスギの巨木が見られる。神奈川県山北町中川の箒スギ幹周り12m、樹高45m推定樹齢2000年で樹勢も良く立派である。丹沢では、河川工事で氾濫した河床からスギの埋もれ木がしばしば出土する。山北町丹沢のイデリ沢の埋もれスギの年代は1050年、箱根芦ノ湖の逆さスギ等日本各地にスギの巨木は存在している。限られた地域や特殊な環境でもなく存在している。

（１０）木こぶ・枝打ちの切り口

木にこぶができ新芽が出ているのを見かける。ウメの成木のこぶから毎年新芽が切っても切っても出る。樹種にもよるがケヤキ、イチョウ、サルスベリ(別名ヒャクジッコウ)は枝を切ると切り口の周りから新しい芽がでてくる。これは休眠芽が切ることにより出てくるのである。

5. 富士山の植物たち「過酷の瓦礫地に生きる富士山の植物たち」

(1) 高地に進出する植物

富士山の火山荒原に進出する植物たちの育つ環境

① 溶岩流が流れた岩場

火山の噴石が積み重なる火山荒原に最初に進出するのは、草本類のイワツメクサ、コタヌキラン、フジハタザオ等の先駆植物の草本類が進出し草原化が始まる。やがて岩陰や岩の割れ目にカラマツ、ダケカンバ、ミネヤナギ等の木本の種子が運ばれ芽吹き成長して森がつくられていく。溶岩は一見植物が育つ環境としては厳しいと感じられるが岩場は地下から上がってきた水蒸気が岩石の冷気に触れ凝結して水滴となり意外と水分があり水の乏しい高山では植物にとり良い環境となっている。また風で舞う木の葉や土埃も溜まり易く木の種子が運ばれ芽吹くと生き残る確率が良い。富士山では溶岩流に沿って樹木が進出している。須走口登山道に沿って高所まで樹木が生えているのはこうした理由による。砂漠の緑化に植林をした木の周りに石を置くのも同様な理由である。

② 次に噴石の瓦礫が積み重なる瓦礫地帯は、熔岩地帯ほどでは無いが水分も多少あり、地面が砂礫地に比べ安定しているので運良く

岩陰に落ちた種子が芽吹き成長している。また熔岩の岩場は夏の日射で焼けて高温となり植物も葉が焼け枯れるが免れた植物たちが永年の間に草原や森を形成していく。また北向きの斜面や陽の光が斜めに当たる場所は夏の焼けが小さく草原も広がっている。

③ 砂礫地　砂礫地は夏の晴れた日中砂地が焼け若葉が焼けて枯れてしまうので草原化が進まない。運良く芽生えても山岳特有のにわか雨で砂礫と共流されることも多い。

④ その他　地面にあたる太陽光線の照射角が１日を通し小さいこと。植物の生育期特に夏の日中砂礫地の焼けつくような地面では植物の葉や芽生えたばかりの若芽は焼けて枯れてしまう。地面が太陽光が斜めにあたる北に傾斜した斜面では地表温度が焼けるほど上がらず草原や樹林帯が広がっている。

（２）強風で砂礫が舞う砂礫地の植物

富士山御殿場口標高 1450m の草原地帯に、小山のように盛り上がつた小島の如き植物群落が点在している。小島の規模は東西 5.3m、南北 4.7m、比高 1.4m の島状の群落で、草本のクサボタンが中心となりカリヤスモドキが占有しやや外側の北面に木本のシモツケが生えヨモギ、ヒメノカリヤス、トウキ、メイゲツソウが生えている。フジアザミは島状群落の縁かやや離れた位置に生えている。

① 火山荒原に生える植物遷移

ア：富士山の火山荒原に最初に生えるのは先駆植物の大型のフジアザミ、芽生えより丈夫な葉を付けるクサボタン、やや葉は柔らかいがメイゲツソウ、フジハタザオ、希にオンタデが生える。草原に草陰が多くなるとカリヤスモドキ、ヨモギ、ヤマホタルブクロ、地面を覆うようにムラサキモメンズルが生えてくる。

イ：先駆植物が増え草陰が更に増すとノダケ、イワオウギ、ヒメノカリヤス、ノコンギク、ヤマハハコ等が生えてくる。

ウ：更に草原化が進み砂礫地の緑が濃くなると夏の砂礫の熱さで若芽も焼ける事も無く環境も良くなり、陽地性の木本が育つ環境も整いフジイバラ、シモツケ、バッコヤナギが生え、更に進むとミヤマヤシャブシ、ダケカンバ、ヤマハンノキ、フジザクラ、ハコネグミ、イヌエンジュ、カラマツ、イヌコリヤナギ、赤松が生えてくる。また林縁にはヤマハンノキ、ナナカマドが生え草地にはクルマユリ、キオン、ハンゴンソウ、オキナグサが生えてくる。

これら植物たちの砂礫地への進出の遷移は最前線の先駆植物が数十年から数百年の年月の中で行われ草原化ができると木本植物が進出し森となる。森が形成されると樹木の生長は急速に進む。

② 一見数百本が群生しているかのようなバッコヤナギ

砂礫地の島状の植物群落の中のバッコヤナギは数十〜数百のヤナギが群生しているかに生えている。これは冬期寒風で砂礫が舞う砂礫地に生えるバッコヤナギは地上部が強風で舞う砂礫で樹皮が削られ枯れて白骨状態となる。特に冬期は強風がよく吹き小さな瓦礫は舞い地上部の樹皮は削り取られ枯れてしまう。しかし地下部は枯れずに翌年には地下より新芽が芽吹き伸びてくる。こうして永年の間に群生状態のバッコヤナギとなる。しかし、地下は一本の根となっている。

火山荒原の植物：数百本の株立ちしたバッコヤナギは一本の根から

③ 砂礫地に小島のように盛り上がって点在する植物群落

砂礫の海に浮かぶ小島の植物群落はよく見かける風景で、これは冬期に吹く強風で砂礫が舞い草の茂みがあると風は弱まり砂礫の一部は草の間に落ちる。砂に埋もれても草は芽吹き、永年の間に群落と共に島は大きくなり5mから10m、比高1～1.5mの島状群落をつくる。植物は島の高さより更に深く根を伸ばし砂礫地を抱え、根はびっしりと張り互いに絡ませ風蝕から守っている。微生物の少ない高地では古根は枯れても腐らずに残っている。

④ 標高2,401m宝永第一火口西斜面の植物たち

富士山富士宮口 6 合目の山小屋を過ぎ山頂への登山道と分かれお中道コースを15分も直進すると宝永火山の第1火口に到着する。火口底に向かって降ると左手の崩れやすい火口の斜面に草原が広がっている。火口の西斜面で強い日射も斜めに当たる北落ちの斜面で温度もさほど上がらず若芽は日焼けから免れ育ったのである。しかし高山は厳冬の寒さは厳しく積雪、雪崩の環境下で育つのは極めて厳しく過酷な環境で生き残った植物たちが草原を拡げたのである。道は第 1 火口と第 2 火口の境にあり草原の断面が露出して草原の地下の様子が観察できる。草原は小石や岩石混じりの砂礫地で地肌が目立つ草原であるが、根は地下深く 1～1.5m と根を伸ばし互いに根を絡ませて瓦礫を抱えている。高地の植物の葉は硬く主脈が谷になり葉先は上に上がり高山特有の霧を受けとめ水滴となり集まって茎に

流れ根元に水が集まる仕組みになっている。雨も同様に集められる。地下では枯れた古根は高山で微生物も少なく腐らずそのまま残り、水分を蓄える役割となり防寒となっている。そして、少しずつ分解して子の栄養源となっている。植物の姿の中に動物の親の愛に通ずる世界のある事を感じた。

高山で生きる：標高2401m宝永火口の植物は、枯れた古根は雨水を蓄え、子の防寒、栄養源となっている

⑤ 森林限界のカラマツの森づくり

標高 2400m 富士宮口新五合目駐車場よりつづら折れの登山道を 5 分も登ると、森林地帯を抜け急に山頂までの視界が開ける。目の前に縦 5m 幅 3m ハイマツ状のカラマツが小船を逆さに伏せたように這い瓦礫地に緑の小島状となって点在している。小枝を掻き分けると幹周り 50cm、樹齢 450 年もあろうか太い幹を地面に横たえ小枝で包まれたカラマツの姿でした。ここのカラマツは、冬期積雪が多く雪の重みで上に伸びることができず、雪の重みで横に這い枝葉に積もった雪の重みで少しずつ山裾に向かって滑り落ちカラマツの枝先は山裾に向かい風傷木の如き樹形で伸びている。少し離れた森に近い位置に 6 本のカラマツの若木が寄り添うように生えている。しかし根元を観ると 6 本のカラマツが枝分かれした姿で元は一本である。高山の裸地では雪崩や豪雨による崩落で地形は大きく変化する。雪崩道が大きくずれて遠のくと環境も良くなりハイマツ状のカラマツは枝先の数本が立ち上がり上に向かって伸びる。上に向かって伸びる事は植物にとり自然の姿である。立ち上がった枝は本来の幹の姿で生長する。カラマツはハイマツ状で過ごした姿を根元に留め生長している。枝陰の根元にはコタヌキラン、ヒメノカリヤス、等の草本植物が生え近くにはカラマツ、ダケカンバ、シラビソの幼木が生えて森が形成されつつあった。宝永火口の散策の帰り道宝永の第 2 火口壁を通り宝永の第 3 火口への分かれ道を右に折れ森の中を駐車場に向かうコースを森に入ると、入り口はカラマツの幼木林で、20m も入ると森は立派に成長したカラマツ林となっていた。そこに根元より数本株立ちをして立派な幹となったカラマツが点在している。根元には枯れ枝を浦島太郎の腰蓑の如く付けている。これは森林限界の過酷な環境下で数百年を過ごしていた這松状のカラマツの枝の名残で、周りの環境が良くなり枝先が立ち上がり仲間の木々と共育ちをして森となった姿であり森林限界の植物たちが森を形成している姿で山頂に向かって森を形成していた姿である。富士山の植物たちが過酷な環境の中で遙かな時間の中で歩みは遅く、如何に長く過酷な環境下で緑の森を形成していくかの証でもある貴重な姿である。

森林限界のカラマツ：標高2400m
富士宮口の樹齢450年のハイマツ状樹形のカラマツ

周りに仲間が増えると、数本の枝が立ち上がり株立し、ハイマツ当時の枝は腰蓑に

（3）厳しい環境下で育つ植物は寿命が長い

富士スバルラインの終点小御岳火山標高 1314m でバスを降り手前の売店を右に階段を上りお中道コースを御庭に向かうと程なく熔岩の噴石が積み重なる瓦礫地帯に入る。コケを敷き詰め林縁にコケモモが生えるカラマツの大木森が残り花を付けたシャクナゲの花と迎えてくれた。カラマツの大木は、背は低く幹は太く立派であり 2m 位の背丈で幹に負けない横枝を四方に泳ぎ回る姿で張り出している。これも森を覆う積雪の重みで横に這うように生長している。樹齢 500～1000 年は経ていようかこの辺りのカラマツは人の太股位で 500 年、1mm 太るのに 5～6 年掛り生長は極めて遅い。樹木は過酷な寒さや強風に耐えるためヤニで満たされ硬くて強靱である。

森を進むと雪崩が走ったか崩落した谷筋が山裾に向かい続いている。谷の両側にはダケカンバ、ミヤマハンノキ、ナナカマドの陽樹林が生えている。山岳地帯の山道を歩くと樹相が変化してシラビソ、コメツガの陰樹林からシラカバ、ミヤマハンノキ、オオカメノキの陽樹林に移ると崩落した谷筋が現れてくる。樹相の変化を感じ地形の変化が予測でき山歩きが楽しくなる。1 時間半も歩くと散策道の左に噴火口の跡があり赤く焼けた噴石が火口壁に積み重なっている。火口は山頂から下の奥庭に向かって略一列に並んで点在している。この辺りは 1500～1900 年前火山活動があった場所で線上の割れ目からカーテンのようにマグマが吹き出したであろう様子が想像される縦長の噴火口も見られる。噴火でできた小山は更に遠く青木ヶ原まで続いている。富士山では山頂を中心に NNW—SSE(青木ヶ原—宝永火山)方向に富士山にある寄生火山 100 個の内 90%がこの線上にあり、地下に割れ目があるのではないかといわれ新期火山はこの線上の活動が多かった。

（４）標高２４００ｍの瓦礫地に古武士然と鎮座する御庭のカラマツ

富士スバルライン奥庭駐車場よりお中道コースに登り、右折し大沢崩れに向かうと間もなく標高 2314m 赤い熔岩の噴石が積み重なる瓦礫の上にカラマツの老樹が古武士然として腰を下ろしている。幹は積雪の重みで直径 26cm の太い樹幹を地面に横たえ、幹から枝を一本立ち上げ 2.3m の幹を伸ばし鎮座している。此処は御庭火山列が噴石を飛ばした場所で水は無く厳冬の風は厳しく根は風で舞う熔岩片で削られ白骨状態で千数百年生き抜いた老樹である。白骨状態でも微生物の繁殖が少ないこの地で生き抜くことができたのである。

富士山の 2000m 以上の高山の森はこうした植物たちが過酷な環境下で生き抜き作った世界であり貴重な自然の営みの世界でもある。森は一旦形成されると林冠をぎっしりと小枝や葉で包み寒風から守り温室のようになる。林床には枯れ枝や落ち葉が積もりコケが生え環境は格段に良くなり樹木の生長は良い。しかし観光目的でシラビソ、コメツガの陰樹林の森を伐り道路を通すと森は風が吹き抜け乾燥して先ずコケが枯れ地面が露出して乾燥が進む。森の木は水分が不足すると弱り枯れる。この現象は順に広がり富士スバルラインの沿道の森は昭和37年頃から道の両側が枯れ始め枯れて皮が剥げ白骨化した立木が道の両側に旧 3 合目から奥庭まで道路沿いに 100～150m 幅で立ち枯れ状態で永く続いていた。

過酷な環境で：標高2400m御庭のカラマツは白骨状態で古武士然として鎮座

（5）富士山須走口五合目から小富士に向かう散策道のシラビソとコメツガの世代交代

須走口新五合目より寄生火山の小富士標高 1979m に向かう散策道を中程を過ぎるとシラビソ、コメツガが 1960 年頃台風で一斉に倒れたかの如くに 1ha 位の範囲に折り重なって枯れていた。

世代交代：倒木が始まる前に幼木が育っているシラビソの森

1991 年の秋富士山のシラビソが酸性雨で大規模に枯れていると地方紙に掲載されると新聞やテレビで連日取り上げられ報道された。後日調査に入ると倒木の場所から小富士に向かってシラビソ、コメツガの森が 1 ha くらいの範囲に同じくらいの太さの森が植林したかのように揃って生え続いている。比較的若い木の森にはコメツガの大木が枯れて横倒しになっている。倒木を調べるとシラビソは 100～160 年、コメツガは 200～400 年で枯れている。営林省沼津出張所金子課長さんと富士宮口登山道標高 2000m で同様の調査を行うとシラビソは 150～300 年、コメツガは 200～400 年であった。長野県蓼科の縞枯山は 100 年で枯れる。木にも寿命があり育つ環境により寿命が違う。シラビソ、コメツガの陰樹の森は、樹勢が良く密生して互いに木陰を作っている。壮年の森では林床に光も射さず種子が落ちても育つ環境にないが老樹になり風雨や寒風に晒され先端が枯れ葉は少なくなり種子が芽生えて育つ環境が整ってくる。樹勢が衰えると樹木は子孫を残すべく花を咲かせ実を付ける。種子が落ちると林床には陽が射し芽生え育つ環境ができているので幼木は老樹に囲まれ育つ事ができる。枯れた倒木の森を観察するとそこには 10 数年から 30 年生の次世代の幼木が育っている。こうしてシラビソ、コメツガの森は世代交代をして厳しい山岳の地で命を繋いでいる。

（6）酸性雨による被害

酸性雨により枯死した森は小富士火山の山頂より北寄りで富士吉田口登山道標高 2000m 付近の谷に広範囲に観られる。酸性雨による枯死地帯は木が一斉に枯れ樹齢が 60～80 年と若いのに枯れている。酸性雨による被害の森には次世代の幼木が育っていないので、世代交代か酸性雨の被害によるか区別ができる。酸性雨の被害のある場所は山に霧が発生すると霧は流れるように移動しその流れ道に沿って被害に遭っている。日本のように雨の多い国では雨より空気中に永く漂う霧の方が空気中の酸性物質を多く溶け込ませ影響を及ぼしていると考える。

酸性雨の被害：酸性雨の被害の森は幼木も育っていず若木も枯れている

（7）富士山小天狗溶岩流の天然ヒノキ木造建築物は樹木が育った樹齢もつ

富士山スカイライン水ガ塚自然公園を過ぎ富士宮に向かって 500m も行くと道の両側に里山で 30～40 年生のヒノキが生えている。ここの標高は 1440m あり、2450 年前の噴火で小天狗溶岩流が流れ亀裂が多く大きな岩塊が折り重なった熔岩地帯となっている。溶岩の厚さ 1.5m の熔岩地帯で当時生えていた樹木が熔岩に取り囲まれ根元が焼失して流され、木を鋳型にしたように冷えて固まり木の外形を留めたパイプ状の熔岩樹型ができている。永い年月を経て木の葉や土埃が溜まりコケが生え木の種子が運ばれ芽生え森が形成されている。道路沿いは落葉樹に覆われているが、森に入るとヒノキの純林かと思うヒノキ林である。沼津営林省の所長さんにお願いして倒木の切り口の年輪を調べると幹周り 85cm で樹齢 283 年であった。この割合で一番太い木が幹周り 2m13cm で樹齢 746 年となり平均 300～400 年生の森であった。熔岩流が流れ森が形成されるのに 2 千年近く掛かったことになる。山梨県の青木ヶ原樹海は標高はやや低く 1100m で樹齢 250～400 年生のヒノキの原生林が 3000ha に及ぶ広大な面積に生えている。その他山梨県の昇仙峡の花崗岩の岩山、同じく甲斐駒ヶ岳の山頂近くの岩場には、巨岩を抱き抱えるようにヒノキの原生林が生えている。いずれも植物が生える場所としては熔岩や花崗岩の一枚岩の如き環境で水が乏しい。青木ヶ原溶岩流の厚さは平均 5～6m ありヒノキは厚い熔岩の割れ目に幹のように立派な根を岩の割れ目に伸ばし岩を抱え生長している。ヒノキの原生林は他に裾野市十里木の溶岩流の上にも観られ共に厳しい環境下で育っている。厳しい環境で育つ樹木は、風雪に耐えるためヤニをからだにたっぷりと蓄え過酷な環境から身を守り命を繋いでいる。材質は硬くチェンソーで切ろうとしても跳ね返される程の堅さである。里山の木は生長は速いが材質は柔らかい。木造建築は使った木材が育った樹齢だけもつといわれている。法隆寺の五重の塔が 1300 年の風雪に耐えているのは、木曾の花崗岩の上で育ったような永い年月を掛け育った巨木を使用しているからであり日本の由緒ある建築物にはこうした木材が使われている。しかし日本にはこうした巨木は無くなっているが富士山には貴重なヒノキの原生林がある。この貴重なヒノキの原生林を自然遺産として大切に残さなくてはならない。

小天狗溶岩流上の樹齢300～400年の天然ヒノキ：木造建築は木の樹齢だけもつ

（8）宝永火山と火山荒原に育つ植物

宝永火山の大噴火は西暦 1707 年 12 月 16 日に噴火を始め 16 日間続き、火山砂礫を 0.847 km^3、13 億トンの噴石を降らした。第一火口の直径は 1.8km あり山頂の火口 0.8km に対し大きく富士山の噴火で最も大規模な噴火だった。この噴火で古期富士山の山体を押し上げ、高温のマグマの飛沫は飛び散り、落ちては砕け当時富士山の標高

2500m くらいまで自然林が生えていたのを 2500m 以上の山頂の面積に匹敵する森を焼き、風下の須走村は戸数 75 戸の内半数が焼失し残り半数は降り積もる砂礫に埋もれ村は壊滅した激しい噴火だった。

宝永の大噴火で焼失した跡には厚い砂礫が堆積して 310 数年経過しても何故か草はまばらで火山荒原のままの姿である。御殿場口新五合目標高 1450m で夏期の一ヵ月間専修大学付属高校小岩清水先生が条件を変えた各地点での気温調査をした。砂礫地は陽が射すと気温 40℃と上昇し、夏の強い日射では 50℃の測定器の目盛りを振り切る温度となり、草原は 20℃と下がり、草が生えることで気温が緩和され、森の中は 18℃と更に緩和され日較差が小さくなっている。このように緑の植物が気候の緩和に果たす役割は大きい。

富士山の森林限界付近の草本は毎年 5 月になると雪が溶けると一斉に芽吹き花を咲かせ実を結び秋になると沢山の種子を風で飛ばし種の保存を図っている。撒かれた種子は翌年かなり芽生えるが夏になると砂礫地の温度が 50℃以上に上がり若葉は焼けて枯れてしまう。イタドリの新芽は葉が焼けても茎が少し残るも翌年芽吹いた若葉が焼けて枯れついには死滅してしまう。

（9）短い夏忙しいヤマホタルブクロ

ヤマホタルブクロは標高 2000〜2400m の林縁や草原の縁の砂礫地に生える植物で、山の雪解けが 6 月から 7 月の初めで地面を覆うようにロゼット状の小さな葉をつけている。一見種子が芽生えて間もない幼葉のようだが立派に成長した親の姿で根は太く長く地中 50cm も伸ばし水分を吸収している。伸びた茎は矮性の葉とは似つかず立派で里のホタルブクロと同じ位立派な花を咲かせ、急いで種子を稔らせる。その先にはこれから咲く蕾が順を待つように花を咲かせ実をつけ、デンプンを合成して栄養分を蓄えている。9 月には早霜がおり生長は止まる。高山では里の植物が 2 月に芽を出し生長して花を咲かせ実を結び 11 月に生長が止まる。里の植物が 9〜11 月の永きで

高山の火山砂礫の中で：短い夏忙しい富士山のヤマホタルブクロ

行う生命活動を高山の植物は短い夏の2〜3ヵ月の間に急いで行わなくてはならないのである。

（１０）フジアザミは砂礫地で強い日射に強いのか

フジアザミは富士山の標高 1000〜2000m の砂礫地で周りに草も殆ど生えていない砂礫地に生える植物で、草丈は0.6〜1m、頭花は6.5〜8.5cmと紫を帯びた大輪の花を下向きに咲かせる。根は地上に比べて太くゴボウ根を1m以上も深く伸ばし水を吸収し葉で合成されたデンプンを根に蓄え肥大している。冬期地上の茎は枯れるが根生葉はロゼット状に残り翌年芽を出す。花が綺麗で里に下ろし植えると花が咲き種子が風で散布される。発芽すると陽が十分射す場所より森の木の枝が伸び木陰で芽吹いたフジアザミは良く育っている。しかし、陽が十分に射す日向の若芽は育たない。山取をして富士山の自生地と同じ条件で、砂礫地で陽当たりの良い場所に植えたフジアザミは里では夏の日照りで葉が焼け年々弱り遂には枯れてしまった。フジアザミの自生している富士山の砂礫地帯は霧が発生しやすい場所で日射量も少なくフジアザミには適した環境でも里は霧が少なく日射が強過ぎて生育に適さないのでした。

（１１）標高 1979m 小富士の火山砂礫地に生育するオンタデの戦略

オンタデは標高 3000m の高地でも生育できるイタドリに似た葉で色は緑で柔らかい。小富士火山の砂礫地に生えているオンタデは、草丈 26cm、茎の太さ 3cm で茎を 4 本株立ちしている。根は太さ 4.5cm と地上の茎の 15 倍で地上近くを這うように 80cm 伸び先を地中に細い根を多数出し水分を吸収している。良く観察すると根の周りには古い表皮が腐らず残り根を包むようにふんわりと厚く包んでいる。死んだ古い表皮は微生物の少ない高山では腐らず残り冬の寒さの防寒具となり水分を蓄え、少しずつ分解して子の栄養源となっていた。このような仕組みはムラサキモメンズルも同じである。

（１２）幸運な一粒の種子メイゲツソウ

富士山の亜高山帯の砂礫地に生えるイタドリで雌雄異株の多年草、地下茎は木質で地中深く伸ばし根を張り、分枝し多数の茎を叢生している。雌花は 9 月頃種子が稔り始めると紅色となり美しくメイゲツソウの名が付けられている。数百本が群生して紅色の小山となり咲く様は見事で綺麗である。一見数百本のメイゲツソウが群生しているかに見えるが地下は茎周り 30cm もある太い地下茎で地下茎からは多数の枝分かれした茎から地上に茎を出し群生しているかに見えたのである。大きな株からは毎年数万～数十万の種子が稔り種子は風に飛ばされ散布される。このように沢山の種子が毎年蒔かれると宝永火山で焼失した火山荒原は遠い昔に草花で埋め尽くされ木が生え森となっているはずなのに 310 数年経過しても火山荒原のままである。

仮に 100 万粒のメイゲツソウの種子を蒔くと何個の種子が芽生え生長するか、蒔かれた 1%の種子が生き残っても永年の間に緑は濃くなるはずだが火山荒原のままである。それは砂礫地の地表の温度は夏の日中 50℃を上まわり夏の砂浜のように熱くひ弱な若芽は焼けてしまい生き残るのは限りなく 0 に近い。生き残ったのは幸運な一粒の種子であり、幸運な一粒が数十年～百年の歳月をかけて生き抜いた貴重な植物の姿であり、こうした植物たちの演ずる世界が砂礫地の火山荒原の真の姿なのである。たかが雑草と粗末にしてはいけない貴重な植物たちである。

砂礫地で生き抜く：数百本のメイゲツソウ

砂礫地で生き抜く：実は地下は一本の根から

1707 年宝永大噴火の第3 火口の植物：砂礫地の火口に
100万粒の種子が蒔かれても生き残れるのは限りなくゼロに近い

（１３）針金の如きカラマツの小枝

御殿場口新五合目の駐車場から二つ塚の間を抜けると風が山裾の谷間に向かって吹き抜けている。そこに背の低いカラマツが寒風で風傷木となって盆栽風の樹形で枝は針金のように硬い。二つ塚を過ぎ幕岩に向かう。幕岩は、溶岩が砂沢川を横切り砂防止めのように厚い熔岩の層が侵食により削られ熔岩が枯れ沢に横断幕のように露出した岩壁となっている。冬の寒風は開けた下の砂沢川に向かって吹き下ろし寒さも厳しい。寒風に晒されるカラマツはクチクラ層が発達して針金の如く堅い。しかし少し降って森に入ると、一変して森の中のカラマツの枝は柔らかくしなやかである。富士山には過酷な環境で生き抜く植物たちの術があり、進化の過程で備わった逞しい生命力と営みの世界がある。この大切な素晴らしき世界を守っていかなくてはならない。

6. 富士山の恵み

富士山の地下水の流れ

富士山に降る全降水量は、約22.55億トン/年間（山本荘毅1971）と推定されている。富士山南東麓が占める割合は富士山の山体の31.5%なので地形差等を無視すれば約7.1億トン/年間の雨水が富士山南東麓の長泉～小山地域にかけて降っている。これだけの雨水が降れば利根川や信濃川のような大河があっても流し切れない程の水量であるが富士山の周りには大河は無い。静岡県側に黄瀬川、鮎沢川、芝川、潤井川があり、山梨県側では山中湖から忍野を通って大月まで流れる桂川だけで流れる量は少ない雨水の行方はどうなっているのか。

（1）富士山の湧水

富士山の麓には豊かな湧き水が湧出ている。主な湧水カ所は富士山の熔岩流の末端域で湧水している。

平成5年8月調査　湧水量		
場所	日量万トン	関係のある富士山の熔岩流
富士宮浅間神社湧玉池	20万トン	富士宮熔岩流
芝川町猪之頭五斗目木	7.96万トン	二ツ山熔岩流・菖蒲沼熔岩流
富士宮市白糸の滝	16.74万トン	白糸の滝熔岩流 1, 2, 3
三島市湧泉群	20万トン	三島熔岩流
清水町柿田川	82万トン	三島熔岩流
山梨県忍野八海	24.7万トン	鷹丸尾熔岩流
小山町須川湧水群	42万トン	中期熔岩流・須走―御殿場口熔岩流

（2）富士山に降る年間22万トン余りの大量の雨水の行方

富士山は降雨時地表を流れ河川に流れ込む水や浅い表層流として流れる量は少ない。雨水の行方のメカニズムは富士山形成の地下構造にある。富士山の活発な活動が終息に向かう1万年前までは氷期で、火山活動が寒冷期と重なり富士山はいつも積雪や山岳氷河に覆われていた。噴火が起こると雪や氷は、一気に溶け発生した多量の水は周辺の熔岩や火山砕屑物を取り込み火山泥流となって流れ泥流堆積地層となった。泥流堆積物は不浸透層で古富士火山は泥流を遠方まで流している。堆積状況は山頂の火口に近くなる程多く堆積している。

1 万年以降の新期富士山の活動期は地球も温暖化し火山砕屑物と熔岩流を流した噴火だった。新期富士火山は、火山砕屑物は火口周辺に厚く堆積し溶岩流との互層となって急傾斜で隙間が多く雨水の浸透性が極めて良い層で古富士火山を覆う構造となっている。新期富士火山の地層は山頂近くでは 1000m 余りの厚い地層となり山裾にゆくにしたがって薄くなっている。

富士山に降った雨は、浸透性の良い新期富士火山の地表を流れたり表層水として河川に流れ込む量は少ない。山岳地帯に降った雨はその殆どが浸透性の良い新期火山堆積層の火山砕屑物や熔岩の互層に滲み込み深層水となって流れている。特に山岳地帯は、砂礫や瓦礫に覆われており雨は蒸発を除いて殆どがそのまま地下に浸み込み地下深く浸透して、不浸透層の泥流堆積層の多い古期火山の層に達すると層に沿って地下水脈となって流れる。麓の御殿場市の黄瀬川では、大雨で河川に表層水が流れ込み洪水となるも、雨が止むと水嵩は急に減り濁流水も 1 日位で澄んで綺麗になる。これも雨水の殆どが地下に浸透し深層水となり表流水として流れ出す量が少ない事に由来している。一般に地下の水の流れはゆるやかで雨の少ない年があっても前の年に降った雨が地下をゆっくりと流れるため富士山では地下水が涸れることはない。富士山は新期富士火山の火山砂礫と熔岩の互層が地下水のタンクとなり綺麗で豊富な涸れることの無い天然水を麓の人々をはじめ多くの人々に恵をもたらしている。豊富な地下水に恵まれた麓の山梨県足和田村の水道料金が日本一安く、ついで静岡県の小山町が 2 番目に安かったのも富士山の地下構造に由来する恩恵である。

富士山の主な湧水は溶岩流の末端で見られ、溶岩流は隙間も多く地下水脈ができやすい。富士山は、古期富士火山の末期から新期富士火山初期にかけて多量の溶岩流を遠方まで流し、末端域に富士山の豊富な湧水があるのも富士火山の地下構造によるものと考える。

裾野市、長泉町の三島溶岩流の上にある上水道用の深井戸は、地下構造が古黄瀬川の渓谷状の谷地形に富士山からの溶岩流が流れ込み河床礫岩や砂礫と熔岩流の互層となって100m余り谷を埋めている地下構造となっている。河床礫岩や砂礫と溶岩の互層は、豊富な地下水で満たされ巨大な地下川のような状態となって流れていると考えられる。

三島市では長年楽寿園の小浜池の水位を記録している。その記録と御殿場市茱萸沢の測候所の観測資料を用い、御殿場地方に台風等の豪雨が降ったとき小浜池の水位の変化を見ると平均して70 日で増水して水位が上がる変化が現れた。この事より御殿場地方に降った雨は 70 日で三島まで流れることになる。裾野市の地下は 1 日に 180m の速さで地下水が地下川のような状態で流れているという研究もある。

裾野市や長泉町の水道課で三島溶岩流中の上水道用深井戸の揚水試験で、一度に多量の水を汲み上げても深井戸の水位は変化しないという。これは裾野・長泉の地下は地下水が豊富で多量の揚水をしても熔岩流の中は多量の地下水で満たされているので周りから補給され深井戸の水位が下がらないのである。裾野、長泉地区の地下構造は、かつて西丹沢の水が小山～裾野を流れ駿河湾に流れた古黄瀬川が侵食した大渓谷を熔岩流が埋めた河床礫岩や砂礫と多孔質の熔岩が重なる極めて浸透性の良い地下構造の中を伏流水が一定の水位を保って地下川のような状態で流れていると考えられるからである。

三島溶岩流にある岩波風穴、裾野市役所地下の風穴には、長雨が続いた時や豪雨等で地下水位が上がり風穴内を地下水が流れた水紋や地下の風穴を水が流れた水紋が砂紋となって残っている。また三菱アルミ裾野工場のボーリングで地下の空洞に当たり、穴から水がごうごうと流れる音が聞こえてきたとボーリングを担当した技師の話もある。また三島の地下水調査で 75m 掘削した資料で溶岩流が三層ありその間を地下水が充満していたと報告されている。

三島楽寿園の池の水が涸れたのは工業化が進み地下水の利用が多くなり地下水位が下がり自然湧水ができなくなったのであって地下には多量の地下水がある。三島の土木建設工事で基礎を掘ると何処からともなく水が滲み出してくる。これも地下水が多いことを示している。

山梨県富士吉田市は、大月市まで続く猿橋・大沢･剣丸尾第1熔岩流や地下には旧期溶岩流が流れそれを覆うように富士山から砂礫が雨水やスラッシュ雪崩で運ばれ扇状地堆積物で覆われている。地下構造は、水源用深井戸の深度150mの資料で玄武岩質熔岩層が7層あり、2枚の砂礫層を挟んで揚水水位は地下34.4mとなっている。水道は70%が100〜50mの深井戸と浅井戸1カ所、湧水2カ所あり、殆ど厚い熔岩をボーリングして地下水をくみ上げている。深井戸の数の多いのも熔岩地で良い水源が得られないためであろうと考える。それもボーリング技術が進んだのは近年で、それまで水も無く水田は作れず畑作はトウモロコシ、キビ、アワ、小麦､ダイズ等で主な農産物で、産業として養蚕が行われ絹織物の町として栄えたのも厚い熔岩流の上に栄えた町であるからに他ならない。

（3）小山町阿多野（アダノ）用水

阿多野地区は富士山の大噴火で大規模な山体崩壊が起こり岩屑なだれが走った場所で平坦な台地となっている。その台地を佐野川､須川の流れが深く侵食し上の台地より97m下を流れている。

台地に暮らす人達には、豊富な流水や湧水が湧出しているが利用できない。寛文8年(1668)喜多善左衛門が12年の歳月をかけ須川上流の左岸より湧き出す丹沢系の水を集め33アール、深さ2mの貯水池を設け水を溜め、当時としては画期的なサイホン式の水の取水口を貯水池の底に設け、ゴミや木の葉、小枝は池に浮いて残り用水に流れ込まないようにする。取水口は、池の底につけ出口側には沈殿升を作り砂礫は底に沈殿させ、砂が溜まると堰を開け下の須川に放流して砂を取り除くという工夫をした施工で、全長1200m、実に深良用水1280mに匹敵する手掘りの隧道を掘り阿多野地区と流域に50haの水田が生まれた。

富士山には素晴らしい湧水があり、この素晴らしい水を汚さず後世に引き継いで頂きたいと願うと共に有難さを感じ防災非常用にペットボトルに入れた天然水の貯蔵や貯水タンクの設置もあるが地域には飲料水として昔は使っていた湧水や井戸、小さな湧水がある。この湧水のある場所を地域毎にリストアップして防災に生かすとよい。そのまま飲めるもの、煮沸して使うもの、更に安全上水質検査を行う。眠っている資源を活用すべきである。

（4）富士五湖に流れ込む川は無く、流れ出す川のあるのは唯一山中湖のみで他の四湖は流れ込む川も無ければ流れ出す川も無い

湖の変遷　富士山を取り囲んで山梨県側に五つの湖がある。現在の富士五湖になる前は山梨学院大浜野和彦先生の研究で湖は富士山の噴火活動により形を変えてきたと述べている。

a. 2～1.5万年前は、せの湖76.56㎢、深さ68m、宇津湖（山中湖、

忍野湖）51.6 ㎢、深さ 50m、旧河口湖 18.6 ㎢、深さ 50m、明見湖 11.4 ㎢、深さ 50m の四湖であった。

b. 5500 年前の富士山の噴火活動によりせの湖は 1/2 になり、宇津湖は消滅し明見湖は干上がった。

c. 4500 年前の富士山の噴火活動でせの湖は本栖湖とせの湖（西湖・精進湖）に二分された。

d. 3500 年前に、富士山北東の御庭噴火でせの湖は更に狭くなった。

e. 1500 年前に剣丸尾熔岩流が御坂山系天上山の山裾を埋め堰止め低地に河口湖ができた。熔岩流は更に富士吉田市から大月市方面に流れた。

西暦 937 年に鷹丸尾熔岩流は大出山の山裾を埋め忍野に流れ込んだ。この溶岩流に堰き止められ山中湖ができた。

現在の富士五湖は

	標高m	面積k㎡	湖岸長km	深度m	容積k㎥
本栖湖	900	4.37	11.95	126	36
精進湖	900	0.896		11.5	6.5
西　湖	900	2.304	10.53	76	86
河口湖	831	6.13	19.08	15.2	84
山中湖	981	6.46	13.5	15	69

最大の山中湖は丹沢山系に接し、他の四湖は御坂山系の山裾にあって侵食された急峻な山裾を背景に富士山に向かって開けている。御坂山系の山並みは略西南西から東北東方向に並ぶ第三紀中新世の海底火山活動によりできた地層で雨水の浸透性が悪く西湖の東を閉ざしている形の足和田山は、下の河口湖と69mの高低差があっても自然では浸透して流れ出ることができず、東電が水路を掘削して発電所をつくり西湖の水を下の河口湖に落としている。

山並みを見ると足和田山の尾根が青木ヶ原熔岩流の下を通り本栖湖の南の竜ヶ岳に繋がっているのではないかと推定される。富士五湖の水は、富士山に降った雨が地下に浸透し地下水となり山裾に向かい流れ麓で湧水となって現れ窪地に湖が形成される地形で、本栖湖、精進湖、西湖、河口湖の四湖は富士山より流れてきた地下水が御坂山系の山々に遮られ山裾の窪地に溜まり湖ができた。本栖湖、精進湖、西湖の三湖の湖面の標高が同じなのは足和田山から連なり平行して連なる御坂系の尾根との間に湧水が溜まりせの海ができた。その後富士山の噴火活動により溶岩流で湖は埋め立てられ寸断され姿を変えた。熔岩は隙間が多く瓦礫が積み重なるように堆積し透水性が極めて良く、元は一つのせの海で地下水は移動できるので三湖は同じ水位を保っている。

三湖には流出する川がなく西湖に設けた発電用の水路から河口湖に放水を行うと一週間位で本栖湖の水位に変化が現れる。この事は三湖は元は一つで熔岩流で埋め立てられ形は変わるも湖底は隙間の多い熔岩で水が満たされ地下水で繋がっていると考えられる。また精進湖から甲府に向かう入口に赤池という普段は窪地の場所があり、富士五湖地方に長雨が続くと三湖の水位が上がり池に水が現れ雨水も共に溜まる三湖の水位が下がると消えていく。これも三湖が地下で繋がっていることを示している。

本栖湖の水は自然では堰き止められている湖水が、地下で御坂系の不浸透層を地下水がオーバフローして低地の静岡県の芝川町猪之頭に湧水していると考える。

河口湖は剣丸尾熔岩流が御坂層群河口湖累層天上山の山裾を埋め堰止めてできた湖で五湖の中では一番標高が低く天上山も石英安山岩質凝灰岩、礫岩で水を透し難く自然排水の川が無い。天上山で隔てられ水に不自由していた富士吉田市から掘られた新倉の手掘りの掘り抜きも豪雨や長雨では溢れる湖水には対応できず、近年は東電が発電の目的で掘り抜き隧道を低い位置に掘削し発電用に使い排水された水は富士吉田市で利用している。その後東電は更に低い位置に隣接して隧道を掘り発電に利用している。旧水路は富士吉田市で水田の灌漑用に必要な期間だけポンプアップして活用している。この二本の隧道があっても長雨が続いた年には河口湖の湖岸の家が長く冠水の被害に遭い、現在は山梨県が洪水用に新たに隧道を掘り普段は閉じているが防災用に掘ってある。しかし五湖地域に多量の雨が降り続き、河口湖から多量の水を放水すると下流の桂川が氾濫する恐れがあり難しい問題を抱えている。

山中湖は鷹丸尾熔岩流によって堰き止められた湖ですが五湖の内唯一湖の西の端から自然排水する川があり忍野八海の水を集め桂川に流れ相模川に流れている。富士五湖中唯一湖水が自然排水される川のある湖である。他の四湖は湖に流れ込む川も無く流れ出す川も無い湖で、山中湖も流れ込む川も無い湖である。富士五湖道路建設で籠坂トンネル掘削の折トンネル内より多量の丹沢系の湧水があり、地下では小山町須走地方に地下水が流れ込んでいたのである。

7. 世界一の木

（1）世界一背の高い木

世界一背の高い木トーレスト・ツリーは、アメリカ・カリフォルニア州西海岸コースト・レット・ウットの森にある。木の高さ 111.4m、直径 6.7m、重さ 730 トン、推定樹齢 2000 年の巨樹である。年間雨量は冬は 2500mm と多く降るが木の育つ夏は 40mm と少ない。乾燥したカリフォルニアでどうして大きな木が育つのか。森の木は毎日 500 ガロン(1900ℓ)の水を吸収して蒸散している。コースト・レット・ウットの森は、木からの蒸散と海からの多量の冷たい霧が流れ込み飽和して雨となり雨量 300㎜ に相当する雨が降っている。こうした独特の気象環境が背の高い森の木を育んでいる。背の高い木は、コースト・レット・ウットの川の近くの平らな場所に育っている。大きな木が育つ条件として、川の近くで水があることと 20 年に一度位川が氾濫して肥沃な土を運んでくれる。ジャイアント・セコイアの木の根は、地下 1〜1.5m と浅い地上近くに 50m 根を長く伸ばしている。氾濫で新しい肥沃な土が堆積すると根は働きが悪くなり上から新しい根が伸びてくる。また氾濫が起こると新しい土壌が運ばれるので新しい根が伸びて生長していく。また、葉にも独特の仕組みがあって、木の上部の葉は、厚く鱗のようになって木を覆うように伸びて寒風から守っている。下部の葉は、広く先がとがり光を受け留め易くなっている。

（2）世界一太い木

世界一太い木トゥーレ・サイプレスの木は、メキシコ・シティから南東に車で 10 時間、オアハカ州トゥーレ村にある。木は、標高 1500m、人口 6900 人の村の中央にあり、幹の直径 14.85m、幹周り 57.9m、高さ 42m、推定樹齢 2000 年のイトスギの仲間である。気温 38℃、湿度 27%で雨が殆ど降らない乾燥地帯で、村人が主食のトウモロコシを蒔いても雨が降るまで芽がでない。砂漠のように乾燥した場所でどうしてこんな大きな木が育つのか。それは地形にある。トウーレ村は、周りが山に囲まれ山々に降った雨が地下水となって盆地の中央に集まるので地下には沢山の水がある。村人は井戸を掘って使っている。木の周りには散水装置を備え乾燥してくると井戸から水を汲み上げ散水して大切に守っている。

465年前33世帯の家族が大きな木の周りにやってきて生活を始めた。村人は立派な木を誇りにして大切に守っている。世界中からこの木を見に観光客がやってくる。子供たちは鏡で光を当てこれがライオンの顔、ここに鳥が巣を作っている。ここにはリスが棲んでいる。と自慢げに説明している。子供は学校で世界中からやってくる観光客にその国の言葉で説明できるように勉強している。木は一つの森のようになって、20種類の鳥がいて虫を食べている。多様な生き物が棲む一つの生態系ができている。

（３）世界一長寿の木

世界一長寿の木ブリスルコーン・パインの木は、カリフォルニア州ホワイトマウンテン山脈ブリスルコーン・パインの森にある。木は標高3000m、気温36℃、湿度16%、年間降水量30㎜と極めて少なく木が育つ条件としては劣悪の乾燥地帯にある。樹齢6764年と実年齢で世界でも年輪年代学で測定した木である。ブリスルコーン・パインの木は、枯れても4000年は腐らない。水分の極端に少ないこの地で、葉は5年で落とすがブリスルコーン・パインは40年付けていて葉の養分を利用している。木は養分が不足すると木の一部を枯らし、残った皮の部分だけで生きている。

（4）世界一重い木

世界一重い木ジェネラル・シャーマン・ツリーは、サンフランシスコの標高1500～2500mのジャイアント・セコイアの森にある。ジェネラル・シャーマン・ツリーの木は、根周り直径11.1m、体積1468.6㎥、重さ1385トン、高さ86.6m、推定樹齢2700年の木である。

ジャイアント・セコイアの森は山火事が20年に一度ぐらいで起きている。主な原因は落雷で消防隊も自然の火事であるので消火はしない。山火事があってもジャイアント・セコイアの樹皮は厚さ70cmもあり中まで燃えない。樹皮には燃えにくいタンニンが含まれ厚い樹皮には水が含まれ押すと水が滲み出てくる。山火事はジャイアント・セコイアにとっても大切な役割があって、森には枯れ葉や枯れ枝の堆積物が厚く堆積していて、種子が落ちて土からミネラルを吸収しないと育つことができない。枯れ葉や枯れ枝が厚く堆積していて土が現われていないと植物は育つことができない。山火事は厚い堆積物をすっかり焼き地面を現わしてくれる。山火事が起こるとジャイアント・セコイアの木は一斉に種子を落とし芽生え育つことができる。山火事と共存しているのである。ジャイアント・セコイアには、直径2cmほどの球果があり、中に200個の種子が付き、一本には200個の球果が毎年付きそのまま山火事が起こるまで付いているので一本の木には 800 万個の種子が付いていることになる。発芽して育った木も次の火事で殆どが焼けてしまう。運良く山火事から免れ樹皮が山火事に耐える厚さになった木だけが生き残った森である。

8. 地球の生きものたちは様々な環境の中で命をつないでいる。

地球に生物が誕生し、生命活動に必要なエネルギーを緑色植物が細胞内の葉緑体で、二酸化炭素と水を取り入れ太陽の光エネルギーでデンプンや蛋白質を合成する。合成された有機物は、植物体の成長と個体維持に、更に生命を繋ぐ種の保存に使っている。草食昆虫や動物は植物を食べ、それを肉食動物が食べる。生きものは、食う食われの関係で生態系がつながっている。しかし、これだけで地球の生きものたちの命を未来に繋ぐことはできない。重要な役割を担っているのが地表や地中に生活している分解者の存在である。

植物は、葉で光合成を行うが、落葉樹は秋も深まり気温が下がると落葉する。夏でも後から生長した葉が茂り光を奪われ光合成の効率が弱くなるとその葉は落葉する。落ち葉や枯れ枝、動物の糞尿や遺骸は、シロアリやムカデの小動物の栄養源となり、更に細菌類やカビ、キノコの栄養源となって最終的に無機物に分解される。植物が必要な栄養を根の細胞膜を通して吸収できるのは無機質であって、人が機械的に如何に細かくすりつぶしても無機質にまで分解できない。

地上の植物や動物の生態系は、分解者の存在があってこそ命を繋ぐことができ、分解者もまた植物、動物の存在があって命を繋ぐことが可能となる。落ち葉や枯れ枝、枝打ちした小枝はゴミではなく分解者の栄養源として土に返すのが本来の自然の姿である。このように生きものたちは互いに関わり合い、命を繋いでいる。

植物が育つ環境要因として、年平均気温と年平均降水量が関係し植物群系が分けられている。水の重要性は、地球最初の生命が海という環境で誕生し生命活動を行い進化、多様化したからであり、水なくして生命活動も種の保存もできない。しかし生きものが生命活動を行うには水が液体の状態であることが大切である。

・生物体内は多量の水で満たされ、合成されたデンプンは糖に変わって水に溶けた状態で運搬する。また根から吸収される養分の運搬も水を介して行われている。

・水は、0℃で個体の氷となる。生物体内の糖分の濃度を上げ、氷点温度を下げることで液体の状態を保っている。永久凍土でも夏の期間表面の氷が溶ければツンドラやタイガーの森のように植物は生育できる。

・樹木が育つには、年間降水量が200～300㎜それ以下では草原になっている。

・雨量が少なく高温でも多肉系のサボテン類は、体に水分を蓄え生きている。

・雨期と乾期のあるサバンナでは、イネ科の植物が育っている。
・植物は育った環境で個性が決まる。一斉に植林した森の木は、強風に対して互いに風よけとなり、寒さの厳しい高山では林冠の枝葉が外気からの寒さを防ぎ共育ちをしているので森の中は樹木の呼吸熱で良い環境となっている。生きものたちは様々な進化に適応して生きている。一見生きものたちの世界は強かであるように見えるが育った環境の変化に対しては意外に弱い面がある。100年に年平均気温の1℃の上昇なら適応できるがそれ以上だと適応できずに絶滅する種も出てくる。

地球に棲息する3000万種ともいわれる多様で豊かな生き物たちは、生命誕生 40 億年猛毒、高熱の原始の海で誕生し、幾多の地殻変動、気候変動の試練を乗り越える術を獲得し乗り越え進化繁栄をしてきた。

地球の生きものの命を繋ぎ繁栄し多様化しているのは、太陽の光エネルギーを取り入れ光合成を行っている生産者である緑色植物の存在にある。この大切な緑色植物が地球から減少し乾燥化、砂漠化が広がり地球は温暖化が進んで世界的気象災害が起きている。次世代の子供たちのために緑豊かな草原と森を保全し復元していかなくてはならない。警告、警鐘に何もしないで放置することが、気候変動や豪雨災害という様々な気象災害を拡大している。緑の植物を大切に地球の緑の復元と空気、水を汚さない。自分にできることから始める行動が次世代の子供達に良い地球環境を引き継ぐこととなり、責務であり地球の生きものを救う道でもある。

Ⅱ章　地球温暖化と豪雨災害

1．地球環境の破壊

（1）人類の定住と人口増

人類の誕生　人類の祖先は、約 500 万年前にアフリカで誕生し、狩猟採集生活をして広範囲に移動して暮らしていた。一部の種族が1万2千年前に、シリアのユーフラテス川の河畔で定住生活を始めた。河畔には温暖湿潤な気候に恵まれ、森は拡大しオリーブやピスタチオ等の果物が豊富に稔り、川の水を求めてやってくるガゼルやイノシシ等の獲物にも恵まれていた。定住を始め生活が安定すると人口も増加した。定住生活は、必要な獲物や木の実も次第に近くでは得られなくなり食料不足に悩まされた。加えて天候不順による、飢饉にも度々見舞われた。やがてこぼれ種が芽を出し、生長して実がなることを発見して、農業技術を身につける。そんな自然の中の生活で、新たな工夫や農業牧畜の技術が改善され危機を乗り越えた。生活、文化の向上は農業、牧畜の技術の向上であり、土地の生産性を上げる工夫でもあった。森を伐り草原にして家畜を飼い、草原を開墾して畑にして耕地を広げていった。更に収穫量を上げるため、灌漑農法もシリアでは始まっていた。しかし、耕地も長年使用すると、土地は痩せ貧土になってしまう。こうした痩せた土地は放置され、新たな土地が次々と開発された。放置された土地は草も生えず地力を失い荒れ地となり、やがて砂漠化してしまった。こうしてチグリス川、ユーフラテス川の二つの大河に挟まれ、大河が運んだ肥沃な大地に発展したメソポタミア文明や黄河流域に発展した黄河文明も衰退していった。人が去り放置された土地は、荒れ地となり砂漠となってしまう。人類文化の歴史をたどると、人類が都市を築き文化を発展させた足跡には、砂漠が残ってしまった。日本のように耕地や使われなくなった施設を放置しても、やがて草や木の実が運ばれ芽吹き草が生え木が生えて自然に森となっていく土地に回復力がある恵まれた環境にある土地は、世界の中でも希で面積も少なく荒れた土地を放置すると砂漠化してしまう環境にある土地が殆どなのである。

（2）アマゾンの熱帯雨林を貧しき人に

ブラジルの東北地方アマゾン川の河口一帯は、アマゾン川が太古の昔より運んだ肥沃な土壌で、16 世紀半ばにアゾレス諸島からサトウキビが伝えられ、ポルトガルの入植者や流刑者などの人達によってサトウキビの栽培が始まった。栽培には多くの労働力が必要となり、アフリカの奴隷やインディオが雇われ、生産され世界最大の砂糖プランテーションが築かれた。しかし 300 年に及ぶ土地の酷使は、土地は地力を失い貧土と化して放置され砂漠化してしまった。加えて恒常的に干魃に見舞われ、働き場を失った人々が街にあふれ、餓死、暴動、犯罪の多発地帯となってしまった。ブラジル政府は、この問題と地方に住む 3 千万人の内 1/3 は極貧に苦しむ人達でありその救済政策に「人無き土地アマゾンを、土地を無き人へ」の政策を進めた。先ずアマゾンの熱帯雨林に、人と物資を運ぶ通路として、1970 年に東北地方のトカンティンス川流域のエステレイトを起点として、ペルーの国境に近いクルゼイロ・ド・スルまで、3300km を陸軍工兵隊が主力となり突貫工事で熱帯雨林に、幅 50mのハイウエイが総延長2 万 km に及ぶ幹線道路を直線的に造りそれに多くの支線網が造られた。ハイウエイに沿って 350 カ所、北海道と同じ面積の 800 万 ha の入植地が開放された。1 家族平均 100～200ha の土地が無償で与えられた。しかし着の身着のままで農業技実も資金も持たない入植者は、手っ取り早い焼き畑農業で生計を立てる以外に方法がなく、森の木を伐り乾燥させ火をつけて燃やし灰を肥料に種を蒔いた。アマゾンでは焼き畑農業の火と煙が連日上がり、人工衛星からもこの様子が見られるほどの大規模に行なわれた。しかしアマゾンの土地はアルミニウムが多く農耕地としては、不適地が多くかろうじて耕作できる土地は 3%位しかない。一般の入植地で人の背丈程育つトウモロコシも、解放地では 20cm 程度、米は蒔いても発芽しない。そんな土地で人々は悪戦苦闘しながら農業に挑戦した。しかし、作物は育たず 2～3 年で他のジャングルに逃げ込み、無許可で焼き畑農業を行い生計を立てる以外に方法はなかった。アマゾンの熱帯雨林の土地は、通常成長の速い樹木や草本植物に必要な栄養分は殆ど吸収され、土壌には肥料分は殆ど無く貧土となっている。これが熱帯雨林の森の土で、生い茂る樹木や草本植物の姿からは想像できない。熱帯雨林では、落ち葉、枯れ枝、動物の糞尿、遺骸は、分解されると直ぐに周りに生えている草や樹木に吸収され土には殆ど残らないのが熱帯雨林なのである。焼き畑の灰も毎日降るスコールで溶かされ流出してしまう。焼き畑農業で種子が芽生えて土の中の栄養分を吸収して生長しようとするときには、肥料分はすでに水に流され土の中には殆ど残っていない。このような理由でアマゾンの焼き畑農業は数年で耕作不能地となり新たな土地に移動しなくてはならなかった。こうしてアマゾンの森は失われ、他にも有用木材の盗木、地下資源の開発等様々な原因で森は減少して砂漠化が進んでしまった。

（3）フィリピンの森はラワン木を伐って禿げ山となった

昭和初期日本の家屋は、木造で学校の講堂や地区の集会所、芝居小屋等の大型建築には、大屋根を支える長尺の梁材に使う木材が必要であった。こうした長い木材は日本産では得がたくフィリピンのラワン木が着目され、日本の木材会社は昭和 30 年代頃まで現地に出向きラワン木を伐採して輸入していた。フィリピンの熱帯雨林の山には天を突くようなラワンの巨木が生えていて、材質は硬く建築材として優れていた。しかし、森には木材として価値ある巨木は、1ha 当たり 7 本位と数が少ない。切出すのにブルドーザーで目的のラワン木まで、森の木を押し倒し切り倒して道を造り、ラワン木を伐採して運び出した。そして次のラワン木を伐るのに、同様に道を造りラワン木を伐り運び出した。

数年後にラワン木を伐り出した山を訪れると、山は荒れはて禿げ山となっている。そして年に何回ともなく台風に襲われるフィリピンでは、強風雨や台風の度に豪雨による土砂崩れや洪水で悩まされる災害大国になってしまった。

日本人の感覚では熱帯雨林の木材を伐採しても、生長の早い熱帯雨林では数年もすると直ぐに草が生え木が生えて森となり、回復して元の熱帯雨林の森に戻るであろうと考えるが、フィリピンでは山は荒れ禿げ山となってしまう。それは道を造るときになぎ倒された木や切り株は、傷口からムカデやシロアリ等の小動物の旺盛な食欲で食べられ、カビ、キノコの栄養源となり、僅か３ヵ月くらいで食べ尽くされてしまう。分解した無機質は雨が多い熱帯雨林では、毎日降るスコール等で無機質は水に溶け流されてしまい土には殆ど肥料分は残っていない。地肌が露出し荒れた伐採跡地で草や木の種子が芽生え生長するのには日数がかかり無機物は、種子が発芽して生長に必要な栄養分を吸収しようとするときには雨水に溶け殆ど流されてしまっている。こうして熱帯雨林の森は乱伐をすると、植物が育つことのできない貧土となり禿げ山となってしまうのである。

熱帯雨林の自然の森では、枯れ枝や朽ち木、動物の糞尿、遺骸等は、虫や微生物の旺盛な食欲により食べられ更に細菌類やカビ類により無機質に分解されると、直ぐに森の植物に吸収され土の中には殆ど肥料となる無機質は残らない。そのため熱帯雨林の森の土には通常肥料分となる無機質は殆ど無い状態となっていてあってもせいぜい地中 10〜15cm 程度と浅い。そのため熱帯雨林の樹木は地中に深く根を張り栄養分を吸収する必要が無く、雨も多いので根は地中深く張らず短くせいぜい 1.5m 程度である。風に対しては樹木が密集しているので互いに風除けとなり共育ちをしている。巨樹を支えるのには地上に長く根を伸ばし板状にして体を支える盤根が発達している。

日本の気候では落ち葉が朽ちるのに 1 年、小枝が朽ちるのには数年掛りゆっくりと分解しているので、種子が落ちて芽生え育つのに日数が掛っても、分解がゆっくり行われているので植物は生長に合わせて土より養分を吸収し育つ事ができる環境となっている。日本で土の色は、関東では黒から褐色、関西では黄土色、沖縄では赤色である。関西や沖縄では樹の茂っている下の土は黒っぽい。これは植物が茂っているところでは落ち葉や枯れ枝が腐って腐植土ができるからで黒ぼくと呼んでいる。

アマゾンの熱帯雨林で農業を行うのには、先住民が行う農法のように、自然の森の一部で自然を壊さないように農作物を栽培をする。数年栽培したら 5〜6 年は放置してその土地を元の自然の状態に回復させる。自然を壊さず草や木と共存する農法で、野菜や果物を栽培する環境で行わなくてはいけない。広大な森を一斉に皆伐して行う焼き畑農業は熱帯地方では、自然の回復力を超え土地を荒廃させてしまう。世界の農業や土地の開発は、場所によって環境要素が異なり様々である。環境を無視した農法でなく環境に配慮した農法で開発を行うことが大切である。日本では荒れた土地を放置しても自然に草が生え木の種子が運ばれ芽吹いて林となり森となって回復する。このような土地は世界的にも数が少ない。世界ではメコン川流域位で殆どの国は土地を長く利用したり生産を上げるため酷使すると、生産力は落ち収益の上がらない貧土となり、放置すると草も生えず荒れ地となり砂漠化が進んでしまう土地が多い。

世界の森林伐採は、ブラジルのアマゾンに留まらずフィリピンやカリマンタンのラワン材の伐採からタイ、スマトラ、カナダ、シベリアのタイガーの森へと及んでいる。地球は過剰な森林伐採により乾燥化と地球温暖化が進み気象異変が起こるようになった。平成 12 年にはインドネシアで森林火災が発生し、数週間続く火災で煙が充満しその煙で視界が悪くなりスマトラ島で飛行機事故が発生した。

海水温の上昇は、大気の循環を狂わせ台風の発生場所が高緯度でも発生し台風は迷走している。海水温の上昇は海の生物にも影響を与え珊瑚の白化現象を起こしている。

（4）砂漠化

世界の砂漠の面積は、アフリカ大陸と略同じ 3 千万㎢である。そして毎年砂漠は 6 万㎢(四国と九州を合わせた面積)ずつ増加している。年々増加する主な原因は、熱帯雨林の開発と森を伐採し新しい産業を興す乱開発である。農業生産を上げるために、土地を過剰に利用して地力を失い貧土にしている。痩せた土地は放置され、乾燥が進みやがて砂漠となってしまう。その他自然環境の変化等で砂漠になっている。そして森や海で自然と共に自然を壊さず、自然の恵を頂き生きてきた人々が、文明の波に押され開発により森という生活の場を追われ苦しんでいる。

① 世界の人口増と食料問題

19 世紀初頭世界の人口は 10 億人であったのが、米国政府統計局の 1995 年の白書で 57 億 5 千万人、2003 年に 63 億人、2017 年には 76 億人に達し、加速度的に増加している。21 世紀末には 100 億人を越すと予測されている。2000 年にインドは 10 億人となり、アフリカで 20 億人を越すと予測されている。

世界の国々では人口増に伴い食料不足となり、生産を上げるため農地を酷使している。多くの国は、土地の回復力が低く数年耕作したら数年間は休み、地力を回復させてから耕作する農法で行っていた。耕地を大きく区分して、休耕地を設けて順に土地を耕作使用していた。しかし、食料不足で生産を上げるため過剰に土地を使用せざるを得ず貧土にしてしまった。やせて生産が上がらなくなった土地は放置され、新たな草原や森を開拓して農地にして食料の確保を図った。耕作放置地は乾燥化が進み砂漠を拡げている。

② 灌漑農業

大規模農業による砂漠化　アメリカテキサス州デフ・スミス郡の大規模農業は、灌漑用に掘られた深井戸で、36 年間大量の地下水を汲み上げ、灌漑農法により農産物を生産して多くの収益を上げていた。乾燥地帯は水さえあれば農作物の栽培は可能である。乾燥地の農業を支える頼りの地下水が 1970 年に枯渇してしまった。気づくと周辺の井戸も次第に涸れていた。調査を進めると大量の地下水の汲み上げで、地下水位が 24m も低下していた。地下水位は広大なテキサス州ハイブレーズ一帯で低下していた。加えて 70 年代のエネルギーの高騰で、地下深所からの汲み上げがコスト高となり、数千ヵ所の農業用井戸が閉鎖を余儀なくされ、灌漑農業に大きな打撃を与えた。

ここ 30 年間で世界の灌漑農業地帯で、地下水の帯水層の枯渇が広がっている事が問題となった。かつては農業の灌漑に使用する水の量が、降雨による水の補給量を上回らずバランスが取れていたのが、農業の近代化と大規模農業が盛んとなり、降雨による自然補給量を上回る地下水の汲み上げが盛んに行われ、地下水位が年々低下してしまった。今日世界で地下水の過剰汲み上げは、中国の中央部と北部、インドの北西部と南部、パキスタンの一部の地域、アメリカの西部一帯、北アフリカ、中東、アラビア半島の農業地帯で広く行われている。地下水の過剰使用は都市にも当てはまり、バンコクやメキシコ・シティの一部では、地下水の汲み上げで地盤沈下が起きている。ニューメキシコ州アルバカーキ、アリゾナ州フェニックスやツーソン等アメリカの大都市でも帯水層から過剰に揚水されている。地下水の枯渇が世界全体で、最も大きな課題となっているのは農業分野である。今日の世界の食糧生産では、灌漑農地の生産が突出しているからである。その生産高は世界の農業生産量の40%で、世界の農地面積の17%を占めている。

降雨に依存した農業が行われる土地の開発には限度がある。灌漑農業が増え続けているのは、世界の人口増で食料確保を行わなくてはならない現状がある。灌漑農業が拡大すれば地下水の枯渇が起き、エネルギー価格が高騰すれば地下水の揚水コストが高くなり、多くの農民は灌漑農業を続けられない。現在の灌漑農業の歴史は、浅くその60%は50年も経過していない。灌漑農業が始まった1850年～1950年の100年間は、河川から取水した水での灌漑が主であった。政府や民間企業が盛んにダムを造り川より水を引き、その水を運河を造り都市や農地まで取り入れた。19世紀の中頃までに中国、インド、パキスタン、アメリカで大規模な灌漑施設が建設された。そしてこれらの国は世界の四大灌漑国となった。南アジアのインダス川水系、中国の黄河と長江水系、アメリカ西部のコロラド川とサクラメント川、サンホーキン川水系はいずれも1950年までにかなりの面積が灌漑をするようになった。当時の世界の灌漑農場は1億haあり1900年の4千万haから大幅に拡大した。そして1950年には2.5億haと大幅に拡大した。この時期に水力発電、水の供給、洪水の防災対策とする多目的ダムが建設され地下水の利用の革命が起きてきた。農村の電化、ディーゼル機関、ポンプの開発と普及は深井戸の掘削技術の進歩とあいまって、農業用深井戸がどんどん掘られ地下水の大量汲み上げが行われた。地下の帯水層は農業にとり理想的な水源であり、必要なときに汲み上げることのできる利便性があり農業生産の増加に繋がった。農家にとり深井戸による取水は年間を通して安定した水の供給が得られるが、川からの取水は水量が安定しないので乾期に備えダムを造り貯水をする必要がある。それにダムは10%以上の水が蒸発のため失われる。加えてダムを造るのに広大な土地が必要となる。そのため地下帯水層からの深井戸による汲み上げが急激に増加した。中国では1961年に11万本から1980年半ばで240万本に急増した。インドでは政府により運河建設計画がすすめられ、1950年から85年までに灌漑面積が倍増した。特に深井戸による灌漑は61年の10万haから85年の1180万haと113倍に急増した。アメリカでも第二次世界大戦後に地下水の取水ブームが起きた。カリフォルニアではセントラル・ヴァレーの肥沃な土壌下にある地下水の汲み上げ量が増え、同地域の果物や野菜の生産量が増加した。最も大規模な帯水層の開発が行われたのは、西経100度にまたがる天水農業から灌漑農業に変わる分岐地帯ともいわれるグレートプレーンズである。この大平原の西の乾燥地帯は、オガララと呼ばれる広大な地下水盤の上に位置している。オガララ帯水層は地球最大規模の帯水層で、北はサウスダコタ州からテキサス州まで8つの州にまたがる面積45.3万km^2という広大なものである。帯水層よりの揚水が始まる前は3700km^3の水を蓄えていたと推定されている。実にコロラド川の年間流水量の200本分に相当する量である。第二次世界大戦後新しい強力な遠心ポンプが開発され、地下水の大量の汲み上げが可能になったのである。最初はテキサス州北西部とカンザス州西部で始まり徐々に北へ普及してネブラスカ州まで広がり、オガララ帯水層だけでアメリカ灌漑農業の 1/5 を潤している大灌漑農業地域である。

地下水の揚水による灌漑農業も取水を無限に行うことはできず、帯水層の自然の涵養量を上回ると水源は次第に枯渇してくる。一般に帯水層の自然涵養量はごくわずかで、実際には非再生地が多い。地球環境の歴史でこの地帯に雨の多い時代に雨水が地下に浸透して蓄えられた化石水である。乾燥地帯の都市の生活用水や灌漑農業の用水に汲み上げるとやがて枯渇はまぬがれない。降雨により水が補給されている国でも補給水と揚水のバランスを保っている国は少ない。枯渇の問題は土地の所有者が揚水の採掘権を持っているので調整は難しい。アメリカでは幾つかの農業地帯で帯水層が過剰に揚水されている。カリフォルニアの年間地下水使用量の 15%に相当する 16 億㎥が過剰に汲み上げられている。その 2/3 は国内生産の果物、野菜の半分がセントラル・ヴァレーでの揚水による灌漑農産物である。それ以上に深刻なのはオガララ帯水層の南部では、降雨による水の補給が殆ど無く地下水を汲み上げればその分地下水量は減ってしまうことである。1999 年時点で年 120 億㎥の地下水が汲み上げられている。それまでの総揚水量は 3250 億㎥と推定されている。これはコロラド川の年間流水量の 18 倍の量に匹敵する量である。この 2/3 がテキサス州のハイプレーンズで使用されている。地下水位の低下と揚水コストの上昇に加え農作物の低価額に農民は灌漑農業に見切りを付け始めている。78 年のピーク時にはオガララ帯水層の水を頼りに灌漑農業を行っていた畑は、コロラド州、カンザス州、ネブラスカ州、ニューメキシコ州、オクラホマ州、テキサス州で 520 万 ha に及んだが、それから 10 年も経たないうちに 20%も減少して 420 万 ha になった。80 年代半ばの同地域の灌漑農地の 40%以上が 2020 年で灌漑農業を止めるだろうと予測している。それが現実になると 120 万 ha の農地が放置され食料生産にも大きな打撃となり食糧不足が心配される。

③ 砂漠地帯の農業

北アフリカやアラビア半島では、多くの国で帯水層の化石水に依存した農業が行われている。サウジアラビアは、水量約 1919 ㎦の幾つかの帯水層の上に位置している。オガララ帯水層の半分よりやや多い量である。1970 年代の opec 石油輸出国機構の石油禁輸措置後、サウジアラビアは地下水を大規模に汲み上げ始めた。政府は石油禁輸の報復として穀物の禁輸措置がとられることを恐れ、砂漠でのコムギの生産を奨励し大規模な穀物生産計画に着手した。生産された穀物は世界市場の数倍の価格で買い上げた。穀物の年間生産高は 70 年代半ばの僅か数千トンから 94 年には 500 万トンのピーク値に達した。当時のサウジアラビアの水の需要量は年間 200 億㎥近くありその 85%は地下水の汲み上げであった。政府のこうした対応は、コムギの国内の需要を上回り一時期コムギの輸出国になった。しかしコムギの自給は長くは続かず国家歳入が減少して、ファハド国王政府は支出の引き締めをせざるを得なくなり農業生産は行き詰まった。2年も経たないうちにサウジアラビアの穀物生産は、60%も減少して190万トンに落ち込んだ。他方人口が1200万人から2千万人となり逆に穀物輸入国となってしまった。それればかりか20年間余りの砂漠農業で、穀物を1トン生産するのに3千トンもの水を消費して、年間170億㎦の水不足が生じてしまった。このペースで進むと、2040年あるいはもっと早く地下水が完全に干上がってしまうであろうと予測されている。

またエジプトからモロッコにかけてアフリカ北部に横一列に並ぶ国々は、雨水による補充が無く帯水層の化石水に依存している。推定揚水使用量は年間100億㎥に達するといわれている。その40%近くが巨大な水利用計画を進めているリビアで使用されている。

このまま無計画に揚水を進めると、世界の乾燥地帯では都市の生活用水や帯水層の化石水を揚水し灌漑農業を行うとやがて地下水は枯渇してしまう。生き物にとり必要な水が無くなり、地球の悠久の歴史の中で緑豊かで雨の多かった時代に地下に浸透し蓄えられた化石水が枯渇したら、生き物の生命活動に欠くことのできない水を失うことになり、生き物が棲息できない不毛の大地となってしまい、農業による食料生産もできなくなり大変な事態におちいることとなる。世界の人口増と食料生産がこうした灌漑農場に支えられている現状を考えると心配である。

世界の農業や土地の開発は場所によって環境要素が異なり様々で

ある。環境を無視した農法でなく環境に配慮した農法や開発を行うことが大切である。日本では水に恵まれ荒れた土地を放置しても、自然に草が生え木の種子が運ばれ芽吹いてやがて林となり森となって回復する。このように恵まれた回復力のある土地は世界的にも数少ない。世界でもメコン川流域位で、殆どの国は土地を長く利用したり生産を上げるため酷使すると生産高は落ち収益の上がらない貧土となり、放置すると草も生えず荒れ地となり砂漠化が進んでしまう土地が多い。

（5）野菜と農薬

野菜は自然の野草の中より食べられるものが選ばれ品種改良されたものである。その品種改良の過程で、人にとり美味しく苦みや酸味は抑えられ食感の良い野菜へと改良された。結果苦みは除かれ酸味は抑えられ淡白で甘みがある野菜へと改良された。

地球の生き物は37～40億年前に誕生し、幾多の地球環境の激変や試練に遭い進化、適応して命を繋いできた。

植物は種が繁栄する様々な条件の中で、特に虫害や病原菌に対して自己防衛の能力を持っているものは生き残れるが持たないものは残れない。野草の持つ細菌や昆虫等の外敵から身を守る成分は、山野草の持つ苦み、辛み、酸味、えぐみ等の成分で人には食感が悪く好まれない味である。野菜はこれらの成分を人為的に落としたり押さえる方向に品種改良されている。そのため野菜は農薬や人のお世話にならなくては、病原菌や虫害に犯され自然では育ちにくい植物になってしまっている。

（6）生物濃縮

農薬は病原菌や虫に吸収され効果的で持続性があるように開発されている。しかし病原菌や虫も農薬に対する耐性ができると更に強い農薬が求められる。虫や細菌の害から農産物や果樹を守るため撒かれた農薬は、農作物に取り込まれ残留農薬として農作物に残る。それを食べる人や牛等の生体に吸収され、脂肪に蓄積されやすく水に溶けにくいため尿と一緒に不要物として体外に排出され難いので体内に次第に蓄積されていく。そのため高次の消費者になるに従って有害物質の濃度は高くなり生体に悪影響がでてくる。農産物の病虫害に効果があった農薬 DDT が一時盛んに使われた。その DDT が水に溶け流され世界の湖沼水を汚染してしまった。DDT が生体に取り込まれ蓄積されていく関係は

湖沼の水、植物プランクトン、小魚、ヒラメ、アジサシ

	湖沼の水→	植物プランクトン →	小魚→	ヒラメ→	アジサシ
	0.034ppm	0.08ppm	1.24	1.28	3.91
蓄積比	1	2.4	35.6	37.6	115

魚を食べるアジサシは、湖沼水に溶け込んだ DDT の濃度の 115 倍の濃度に濃縮される。これを生物濃縮といい、食物連鎖の過程で高次の消費者になる程体内に農薬が高濃度に蓄積され個体数の減少等影響が出ている。

（7）人のからだは有機化合物

人の体は有機化合物であり、構成する元素は炭素 C、水素 H、窒素 N で 90～95%を占め残り 2.2%がカルシウム Ca、硫黄 S、リン P、ナトリウム Na、カリウム K、塩素 Cl、マグネシウム Mg、鉄 Fe で構成され、内 H と O が水 H_2O という形で人は 65%、樹木は 75%を体液、樹液として蓄えている。これは地球最初の生命が海という環境で生まれ、海から離れて陸や空に生活の場を移すのには、生体の合成、生命維持、種族保存等の生命活動に必要な物質が入っている海という環境を、動物の皮膚や植物の表皮で閉じ込め海から離れ陸に上がり多様な生物へと進化したからにほかならない。そして生き物の生命活動やそれを命令するホルモン、酵素、更にそれを抑制するホルモン酵素も化学物質である。また生体の合成、分解は化学変化である。このように生き物の体は化学物質で構成され、その生命活動を維持しコントロールするホルモンや酵素は、極微量で体内を巡り合成、分解、変換等の生命現象を行っている。昔は自然の中で生まれ自然と共に自然の中に存在する物を使い生活していた。しかし科学技術の進歩は、自然の中には存在しない物まで合成し元素を周りの環境の中に放出した。その元素が生体に取り込まれ不適合を起こしたり、生物に吸収された化学物質が生命活動で働くホルモンや酵素のように振る舞い生体に混乱を起こさせている。これが環境ホルモンで発がん性、奇形や流産等の障害を起こしている。

一般的には、環境ホルモンという物資はなく、生物体内に取り込まれると生物のホルモンの働きをじゃましたり、壊してしまう働きを持つ物をまとめた名称で生体の生命現象を促進、抑制を外因性内分泌攪乱物質、または外因性内分泌攪乱化学物質という。家庭の雑排水、工場からの排水や船舶が海水に浸かる部分に海藻や貝類が付着して船の推進力が落ち、燃料費がかさむので防止用に塗料が塗られている。この塗料による汚染が進み魚介類に影響が出ている程である。河川、海の様々な汚染問題も考えなくてはいけない大きな問題となっている。

（8）環境ホルモンの被害

① DDT

平成10年代アメリカのフロリダ半島の湖沼でワニが急激に減少を始め、7年間で90%も減少している湖もあった。フロリダ大ルイス・ジレット教授の研究で、雄の性器が正常な雄の1/2のワニが85%もいた。原因は農場からの水に溶けて流れ出したDDTであることが突き止められた。

② ダイオキシン

ダイオキシンは、ポリクロロ・ジベンゾ・ダイオキシンの略称で多くの種類があり毒性の強い物は発がん性や催奇性が強い物がある。ダイオキシンは、ゴミの焼却場等から煤煙と共に排出したり、除草剤の製造の副産物として発生する。微量でも生物に猛毒として働く。ダイオキシンには75種類あるとされていて、それぞれに毒性の違いがあるが青酸カリの千から1万倍の毒性があるとされている。人には食べ物を通して入る物、大気中の粉塵についた物を呼吸により取り込まれるもの、土壌中のダイオキシンが皮膚を通して入ってくる等がある。ベトナム戦で使われた枯れ葉剤によるベトちゃん、ドクちゃんの下半身が一体化したのもダイオキシンによる奇形である。

③ 船舶の船底や養殖池の漁網に塗った塗料に有機スズ

1970年代フランスでカキの養殖場アルカション湾で、殻が厚くなり身が縮み死ぬ貝が出始め1981年には全滅してしまった。また、英国や米国、世界の海からバイガイが姿が消えて来たり、はさみが開き放しのカニが出てきた。原因不明の魚の大量死が起きたのも同じ頃だった。英国の水産研究所で死んだカキを調べたところ最高2.2ppmものトリブチルスズという有機スズ化合物が検出された。米カリフォルニア州スクリプス海洋研究所が、同州の北から南まで160カ所の海岸の貝や海藻を分析したところ9割近い海岸で有機スズの汚染が起きていた。日本でも環境庁が 81 年に行った生物モリタニング調査で、北は岩手から鹿児島まで 9 海域 80 検体のうち 38 検体から有機スズが見つかった。特に瀬戸内海のスズキは 1.7ppm という高濃度であった。東京湾、瀬戸内海の泥にも溜まっていた。有機スズは殺虫・殺菌・防腐剤・除草剤として殺生能力に優れ広く使われていた。今では劇物に指定され日用品としての使用は禁止されてはいるが、規制前には赤ちゃんのおしめカバーやよだれ掛け等にも使われていた。
特に船舶の海水中に浸かった部分には、一週間もすると貝や海藻が付き繁殖し、船底を掃除しないとフジツボや海藻で船足が 40%も減速して燃費がかさむ。従来の亜酸化銅を使った塗料では 2 年に一回は塗り直す必要があった。しかし有機スズだと船底にやってくる貝の幼生や海藻の胞子そのものを殺生する能力があり塗料を 5〜7 年は塗らなくてすむ。当時はこうした病虫害の駆除や予防に効果の大きい農薬や日用品の防虫、防カビ等の薬品として開発され使われていた。
また栽培漁法が盛んになり生けすの魚網も船舶と同様にそのままでは貝や海藻が繁殖して網の目詰りで生けすの中の魚が酸欠となり養殖ハマチが大量死する。そのため有機スズ塗料が大量に使われた。ところが養殖ハマチに背の曲がった魚が大量に発生した。レントゲンで調べると魚の脊椎の幾つかが欠損したように発育せず穴あきコインのように薄くなっていた。売り物にならず昭和 30 年代に大問題となった。千葉大の大矢木教授の研究で漁網に塗られた有機スズが原因であると指摘された。今は世界的に規制されてはいるが、当時はレジャー用船舶まで使われ海は有機スズで汚染され海洋の生魚や貝類から海藻まで数を減らし磯の生き物の姿が薄くなってしまった。

（9）工場排水等

① 足尾銅山鉱毒事件

中禅寺湖近くの皇海山を源流とする渡良瀬川は、栃木・群馬両県に連なる山々から豊富な水を集め田畑を潤し流れる利根川の支流である。渡良瀬川が明治11年(1878年)大水害を起こした。山から土砂が流出し、洪水が引いた後川の水面に多量のフナやウナギが浮き上がった。田畑で働いていた人の手や足の指の間がただれる症状がでた。その後もウナギの死骸が水面に浮かぶ等の事件が度々続いた。明治20年頃上流の足尾銅山が原因であると噂が拡がり、明治24年になり調査を進めると被害の原因は足尾銅山からの排水であることが明らかになった。鉱山で銅の鉱石を掘る際坑道の地下水の排水が強い酸性を示し、選鉱に使用した排水には、鉄、銅などの金属が硫黄と化合した重金属が含まれ、汚泥となって渡良瀬川に排出されていた。明治30年には東京、栃木、群馬、埼玉、茨城、千葉1都5県に及ぶ農地4万haに被害を受けた。

② イタイイタイ病

昭和 35 年(1960)富山県神通川流域の婦中町を中心とする地域で、

骨からカルシウムが抜けてもろくなり骨が萎縮して歪んだり咳をするだけで骨折をするという悲惨な病気が発生した。患者は痛い痛いと叫びながら死んでいった。原因究明に神通川から農地に引き込む水と飲料水を調査した結果、特に神通川からの水に亜鉛、鉛、カドミウム、ヒ素などが検出された。更にイタイイタイ病で亡くなった患者の骨や臓器から高い濃度のカドミウムが検出されこれが原因であると判明した。排出源は神岡工業所からの排水であった。カドミウムの粉塵や蒸気を吸い込むことで人体に及ぼす障害は、咽頭痛、頭痛、めまい、嘔吐、呼吸困難等の急性中毒と肺気腫、腎機能の慢性中毒を起こした。

③ 水俣病

昭和 31 年(1956 年)新日本窒素付属病院から、熊本県水俣市の保健所に中枢神経疾患患者が多く出たことが報告された。症状は発熱もなく突然に手足が麻痺したり、歩行が困難になったり言語障害や激しいケイレンが続いたりする症状であった。熊本大学で研究班が結成され死亡者の解剖結果を分析して、重金属を含む食品を食べたことによる中毒であろうと発表された。昭和 33 年厚生省の新日本窒素工場からの排水が原因であろうという見解が出て熊本大学研究班は、更に排水を調査して病気の原因は有機水銀であることを発表した。汚泥からは 10ppm の有機水銀が含まれており、湾内の魚貝類より高濃度の有機水銀が検出された。

工業排水から排出された1953～59年に有機水銀が工場排液に含まれ水俣の海を汚染し、魚貝類に取り込まれそれを食したことにより神経疾患、四肢の感覚障害、運動失調、言語障害、視野狭窄を起し重傷患者は死亡した。

（１０）大気汚染

① 四日市喘息

昭和30年(1955)四日市市旧海軍燃料跡地が石油会社に払い下げが行われ、石油コンビナートが建設された。これが日本のコンビナートの幕開けとなり石油化学工業の進展となった。

日本の高度経済成長の主役として石油化学工業の巨大な基地となり発展した。当時コンビナート建設については研究は進んでいたが、発生する汚染物質による影響については考えられていなかった。石油コンビナートの本格的稼働が始まり昭和35～36年頃呼吸困難の喘息患者が出始め、その後被害地域が拡大し40年頃には四日市喘息として世界的に問題となった。四日市市では昭和35年から工場の排煙から出る大気汚染物質による喘息患者の多い磯津町地域で、亜硫酸ガスが他の地域より 6 倍も多い観測値が出て四日市喘息の原因は亜硫酸ガスであると報告された。患者の数は増え続け昭和50年には千人を超え死者80名を越えた。

② 光化学スモッグ

1970年東京都杉並区立正高校の生徒150名が、運動中に呼吸困難、咳き込み、眼の痛み等の症状を訴えた。この原因は光化学スモッグであると推定された。光化学スモッグは、ガソリン等の燃料が燃焼するとき空気中の窒素を酸化させできる窒素酸化物とガソリンなどの成分である炭化水素が混ざり合い、更に太陽からの強い紫外線を受けて反応してオキシダントが発生した状態を言う。被害は1970年以降増えた。

③ 酸性雨

工場や自動車の燃料が燃焼する際に排気ガスに含まれる硫黄酸化物や窒素酸化物が原因で、これらの大気汚染物質が大気中で化学反応を繰り返し、硫酸イオンや硝酸イオンとなって雨、雲、霧に溶け込み北ヨーロッパの湖で魚の死滅や森林の立ち枯れ、ブナやシラベの立ち枯れ等の影響が出た。

（１１）プラスチックゴミの微粒子、PM2.5

プラスチックゴミの微粒子 PM2.5 が空気中を漂い、水や海水に混じって汚染を広げている。プラスチックゴミの分解には2000年あるいは数千年は掛かると考えられている。呼吸により肺に取り込まれ蓄積されると健康被害が心配されている。PM2.5とは、粒径が2.5マイクロメーター(2.5mmの1/1000)髪の毛の1/30以下の極微少な粒子状物質の呼称で、単一物質を指すのでなく有機炭素、硫酸塩、硝酸塩、金属プラスチックゴミ等様々な粒子で空気中や水に混じって漂う。生態に吸収され蓄積されると健康被害が生ずると心配されている。

2013年中国のPM2.5汚染が激化し、それが日本にも飛来していることが報道され不安と健康への被害が危惧された。PM2.5は半分以上が西風により飛来した物と考えられ、特に中国の石炭には硫黄分が含まれ企業や家庭で不純物の多い石炭を使用しているため、硫酸塩や硝酸塩に混じって有害な有機化合物や鉛等が排出され健康被害が心配されている。

PM2.5の発生源は、石炭・石油を燃料とする工場・火力発電所・ゴミ焼却炉及び自動車、多いのがディーゼル車より発生する。国内ではこれら施設や自動車について環境対策が義務づけられている。その効果が表れ大気の環境基準の達成率が向上している。日本ではこうした対策が進み効果が表れるのに 50 年の歳月が掛かった。2013 年 11月(平成25年)気象庁気象研究所の観測結果で、鹿児島県桜島の噴火によって放出された二酸化硫黄SO_2を含む火山ガスが、風に乗って関東、東海まで拡がり PM2.5 の濃度を上げているという報告があり火山国日本では身近な問題である。

断熱や防音対策に使われたアスベスト等化学工業製品や薬品が開発され便利になったが地球の生き物にとり有害な物質や微粒物質の放出で生き物の生理機能を悪化する環境汚染を起こしてしまった。

世界的には環境対策や法的規制も進まず経済の進展を優先してい

る現状下で、心臓疾患や脳卒中などの循環系疾患の死亡率を上げているという研究もある。更に人の認知機能を低下させているという報告もある。動物の吸入実験で PM2.5 のディーゼル排気微粒子が血管を通って脳まで入り炎症を起こしてアルツハイマー病の症状を起こした。また胎児期に母胎がディーゼル排気微粒子を吸うと、次世代の子供の脳、神経にまで影響を及ぼすという多くの報告されている。

2. 飲み水が危ない

（1）水と生きもの

生きものにとり綺麗な水は不可欠である。それは地球最初の生物が海という環境で誕生したからである。地球創世 46 億年、地球環境はゆっくりと変化し今日に至った。誕生した生命は海という環境で生命活動に必要な物質を取り入れ体の合成や分解を行い生命活動を行い、地球の環境の変化や大量絶滅の激変の中で進化、適応をして生命体の維持と命をつないできた。海で誕生し繁栄した生きものたちは、やがて海から離れて陸や空に生活の場を広げていった。しかし、生命活動は水から離れて行うことはできない。生きものは皮膚という袋の中に、海という環境を包むシステムを獲得することで、初めて海から離れる事ができるようになった。それは地球の生き物が水の中で誕生し、生命体を維持するための養分の消化、吸収と合成から生命活動のエネルギーを得る分解も、更には生命の継承も水を介して行われなくてはならない生き物であるからである。人と生き物との関係は、人間の体の 60%(成人男性の 65%)が水分で体重 50kg の人で水 25ℓ うち 19ℓ が細胞の中に封じ込まれている。人の細胞は 20 兆個あるので極微量ずつそれぞれの細胞の中に入っている。残りの 6ℓ が細胞外のリンパ液・血液・消化液等の体液となっている。成人の血液は 5ℓ なので血液以外は 1～2ℓ に過ぎない。心臓は 180ℓ の血液を体全体に循環している。腎臓で胎内の老廃物を濾過している。濾過された原尿の内水分は、再吸収され繰り返し利用されている。人の胎内から一日に汗や尿として排泄される量は 2.3～3ℓ、夏の暑い日やスポーツをするとそれ以上排泄される。人は 1%の水不足でかなりの喉の渇きを訴え、2～4%で脱水症状が始まり、8%で幻覚が生じ、12%で生死の間をさまよい、20%で死ぬという。樹木も 75%が水で浸されている。地球上の自然の植物が保有する水の量は約 6000 ㎦で、全世界の河川から海に注ぐ水の量の半分の量に当たる。

（2）地下水の枯渇

宇宙から見る地球は、青く輝く水の惑星である。地球の生物にとり命の水は、全地球で海水が 97.5%で淡水が 2.5%である。淡水の内南極とアルプスの氷河と氷が 2/3 の 66.6%を占めて、残りの 1/3 の淡水の内 99%が陸地内の地下水で占めている。人が飲み水、生活用水、工業用水に利用している河川水の量は、地球上に存在するのはわずかに 0.0001%にすぎない。

この大切な水の不足や汚れが問題となっている。現在命の水が満足に飲めない人が世界では 20 億人に達している。地球の全陸地面積 130 億 ha の内 48 億 ha(36.9%)が雨の少ない砂漠になっている。そこで生活している人々は地下水が枯渇したら生きてはいけない。アメリカ、インド、中国の穀倉地帯では灌漑農法で農作物を栽培している。河川の沿岸地帯では河川水を利用しているが、乾燥地帯や砂漠地帯では地下水による灌漑を行い生産しているので地下水が枯渇が深刻な問題となっている。砂漠地帯では水さえあれば作物は育ち収穫を望めるが、生産を上げるための過剰に灌水すると乾燥地帯や砂漠地帯の多くは地下に塩分が多く過剰な灌漑水により地下の塩分が溶けて毛管現象で地上に上昇してくる。水は作物に吸収されるが塩分は吸収されずに残り次第に集積する。塩分の集積した土地は農作物はもちろん植物も生えない不毛の土地となってしまう。

Ⅲ章　地球温暖化と気象災害

1988年5月アメリカの議会で地球学者のジェムス・ハンセン博士は地球の平均気温が異常な率で上昇し、その原因が人間の生活に関係しているもので、特に化石燃料の大量消費によると指摘した。ハンセン博士はこのまま続ければ21世紀半ばには気温は2～3°C上昇するであろう。それに伴って気候が大きく変動し、自然環境も人類がこれまでに経験したこともない程大きく変わるであろうと証言した。

1. 空気中の二酸化炭素の増加推移

年	産業革命当時(1775)	1958	1987
CO_2濃度	280ppm(指数100)	313ppm(111.8)	350ppm(125)
CO_2の量	6000億トン	6708億トン	7500億トン

空気中の二酸化炭素は過去237年の間に25%増加し、今後年に0.5%ずつ増加すると予測されている。2011年当時の二酸化炭素の放出量は、年間に植物群集より16億トン、内80%は熱帯雨林の伐採や焼き畑農業による放出による。現在ある3600万㎢ある熱帯雨林がここ数年で20万㎢伐採された。毎年増え続ける二酸化炭素の3/4が化石燃料の燃焼によるもので、1/4が熱帯雨林の伐採によると推計されてい

る。地球温暖化の影響で起こる気象災害が地球規模で起こり大型化している。

2. 化石燃料の消費

2020 年世界の人々が消費しているエネルギーは、1.2 万基の原子炉から得られるエネルギーに相当している。原子炉は東日本大震災で破損した原子炉の中の核燃料が安全に核反応を起こしてエネルギーを得る機能を失い、一気に反応が進み超高温となり爆発事故を起こした。原子炉の爆発により放射線漏れを起こし、人体に重大な影響を及ぼすことから、土地を離れ安全な地域への避難措置がとられた。放射線漏れで避難した人々は漏れた放射線量が下がらず長く苦しい先の見えない生活が続いた。現在人類は原子炉の安全運転分野の研究は進んでいるが、使用済み核燃料の処理、廃炉の処理、安全機能が麻痺した東日本大震災のような事故が起こると、メルトダウンした原子炉からの放射性物質を取り出し安全に処理する技術は進んでいない。放射線を安全にコントロールできて初めて核燃料が利用できるのであって先の長い話である。

地球温暖化で二酸化炭素の削減は、世界的な緊急課題となっている。日本も原子炉に電力を依存していたため、福島原子力発電所の事故で原子炉を廃止して、石炭、石油の化石燃料に頼らざるを得ない状態に追い込まれた。

世界のエネルギーの約 75%は石油、石炭、天然ガスによるもので、残りは原子力発電所から得られる核燃料と貯水ダムから得られる水力エネルギーである。エネルギー消費はもっぱら東南アジア諸国で、特に中国とインドがめざましい経済発展により今後50年で倍になると考えられている。化石エネルギー利用には二つの面で問題がある。

一つは、化石燃料は消費すると二酸化炭素が発生し地球温暖化による被害が増すこと。

二つ目は、資源の枯渇が予想されることである。現在の推移で採掘を続けていくと今世紀末には殆ど涸れてしまうだろうと予測されている。1960 年代に国の科学技術の振興策が推進され、国民の生活の改善と向上と日本の産業の振興と発展政策が進められた。家庭の台所の燃料が薪炭から石炭、石油や天然ガスに代わり産業の中核となった。地球が数億年から数百万年の営みのなかで地下につくられた石炭、石油、天然ガスが、つくられた年月を１年とするとわずか１日足らずで枯渇が心配される消費量である。またこれが地球温暖化の原因となる二酸化炭素の大量発生源となっている。

3. 地球温暖化と気象災害

（1）異常気象

2010 年代に入り地球温暖化による気象異変が現実味を増し気象災

害が地球規模で発生するようになった。南方洋上に熱帯低気圧が発生し台風となると発達して巨大化する。台風は記録的な豪雨や強風で猛威を振るう。想像を超える大規模な土砂災害や洪水による激甚災害を起こし尊い人命をも奪っている。気象庁は、2007 年から最高気温が 25℃以上を夏日と名付け、30℃以上を真夏日とし、35℃以上を猛暑日と名付けた。

現状のままで温室効果ガスが増え続けると 2100 年には気温が 3℃上昇し、日本の森林帯は 400〜500km 北上し、垂直に 500〜660m 上昇するといわれている。植物は 100 年に 1℃の変化なら進化適応できるがこれを越すと絶滅する種が出ると心配されている。

このまま地球温暖化が進むとどうなるか、2015 年に大学や研究所の研究員 57 人で 500 の研究論文をもとにまとめた結果によると、農業分野で米の品質低下やミカンやリンゴの主力産地で栽培し難い気候になってくる。水産業分野では、主要港のある地域での漁獲量に影響が出てくると予測された。

ブラジルのアマゾンの森林火災は、2019,8 月に起きた火災は 3 万 9 百件と 2011 年以降最多となったと国立宇宙研究所の観測データで明らかになった。理由は不明だが 1 月に就任したボルソナロ大統領がアマゾン地域の開発に意欲的であることに、8 月 10 日に北部バラ州で農場主等がボルソナロ大統領に連帯を示すために一斉に火を放ったとの報道も聞かれた。

自然災害分野では、洪水については 21 世紀末には水害リスクが増大する。また熱中症については65才以上の高齢者に増加率が最も多くなる。海面上昇は高潮・高波による災害を大きくする。

地球温暖化による深刻な干魃・洪水による被害の頻度が高まっている。最近の干魃による被害は、2010年ロシアで約40年ぶりの大干魃で410億ルーブルの被害に見舞われ穀物の輸出制限をする事態になった。2012年中国の干魃は南西部雲南省を中心に630万人に被害がでた。アメリカでは南部を中心に全土の7割に及び、アフリカではソマリアを中心に北東部で起きた。またブラジルでは北東部で50年ぶりの大干魃が発生した。2006年にはオーストラリアで干魃によりコムギの生産量が48%に減少した。

2013年COP19(気候変動枠組み条約国会議)がワルシャワで行われ、地球温暖化により世界の自然災害被害に伴って過去30年間に250万人の命が失われ、380兆円の経済的被害が生じたと世界銀行が纏め発表した。2013,11.6日にフィリピンを襲った強大な台風30号は死者、行方不明者5584人、被害総額270億円におよび甚大な被害を出し、温暖化による自然災害が深刻化した現れで特に貧しい人々を苦しめている。また干魃や洪水や台風による人命および建物の損失は、災害に伴う水資源の悪化や雇用喪失などを算定した保険会社や研究機関の報告を纏めると、世界の年間被害額は1980年代500億ドル前後だったのが、年々増加傾向が顕著になり、2010年以降は3年連続で1500億ドルを越えた。カリブ海諸国では1回のハリケーンの被害で国内総生産の半分近くが失われた。またアフリカでは干魃が長期化し飢饉に苦しんでいる。

令和2年(2021)10月20日日本の気象庁気象研究チームなどが、地球温暖化により、2018年の西日本豪雨のような大雨が瀬戸内で起きる頻度は3.3倍に増え、17年の九州北部の豪雨では1.5倍になったと数値化した分析結果を公表した。研究チームは、豪雨災害と温暖化との関係を示す結果、最近は異常気象が増えたという回数を肌感覚で感じるようになった。豪雨災害は、特別ではなくどこでも起こりうると警告している。チームは、地球全体や日本周辺の大気の循環をスーパーコンピューターを使って解析した過去30年間で、今の温暖化があった場合とない場合を比較して、18年に西日本豪雨災害に遭った瀬戸内地方では、温暖化がないと68年に1度の被害が、実際は21年に1度のレベルまで頻度が増加している。大雨が発生する確率は、温暖化がない場合の 1.5～4.8%になり、17 年九州北部の豪雨では、温暖化がないと54年に1度の頻度の降水量が36年に1度まで頻度がふえている。発生確率は、温暖化がない場合の1.9～2.8%に増加している。豪雨の直接の原因は、大量の水蒸気の流れ込みや梅雨前線、台風などがあり、温暖化はこれらの気象に影響を与えていると分析した。

フィリピンでは 1960～1970 年代フィリピン中南部の主な島では、日本の商社などによって木材が盛んに伐採され輸入された。70年代南洋輸入木材の第 1 位は、日本合板組合連合が占めていた。国連食糧農業機関によると、1934 に国土の 69%を占めていたフィリピンの森林面積は、90 年には 22%に激減して山がむき出しになり雨水が山から低地に一気に流れ出す災害で、レイテ島では 91 年 11 月の台風で死者 5000 人を出した。その後森林保全の機運が高まりフィリピンでは、92 年に原生林の伐採を全面的に禁止して 2010 年には森林面積 26%と僅かに回復した。しかし国連はフィリピンを地球温暖化対策の重要国の第 3 位に挙げ、今回のような最大瞬間風速 105m/秒というモンスター台風に度々襲われる危険性があると警告している。

（2）地球規模の豪雨や猛暑、永久凍土の融解

令和 2 年(2020)8 月米国カリフォルニア州デスバレーで 54.4℃、日本でも静岡県浜松市中区で同年 8 月 17 日に 41.1℃と、驚異的猛暑を記録し地球温暖化が益々激しくなってきている。地球温暖化の影響によると考えられる異変が、世界各地で相次ぎ起きている。気象災害を如何に減らすか現実の課題となっている。

被害の低減を図る温暖化対策の新国際ルールが、重要な課題として浮上している。2014 年 11 月国連気候変動に関するパネル(IPCC)の総合報告書は、高温や強い雨等極端な異常気象は既に発生しており、このまま温室効果ガスを発生続けると、熱波や豪雨が更に増え頻繁に発生する可能性が高いと警告した。更に水や食料不足が深刻化する地域も増えると予測している。対策のための技術や資金の乏しい発展途上国は、特に深刻で住んでいる場所を追われる人が増えたり、

紛争が起こる恐れがあると指摘している。また排出量を減らしても当面の被害増加は不可避と考えられている。温暖化対策に原因の究明と対策の推進と更には、環境意識の高揚と途上国支援などを通じ世界全体の被害の軽減が求められている。フランスの熱波対策は、2003 年に熱波で 1 万 5 千人の死者が出たがその後警報システムや暑さ対策の広報が強化され 2006 年の熱波では被害が少なくなった。日本では今世紀末の洪水被害額は 20 世紀末の最大 3 倍に増えると試算され対策が求められている。

（3）温暖化被害をどう減らすか

モンゴル・ウランバートルから南西に 450km 離れたハンガイ山脈の麓に、ヒツジの群れが草を食む標高 2 千 m の高地がある。そこに永久凍土が溶けて地面が陥没してできた大小様々な荒れ地が広がっている。ウランバートル共同通信によると、2014 年 11 月現状を視察に同行した永久凍土の専門家ジャンバルジャウ博士と共に凍土が溶けて水が集まり湖となった湖面で、氷に穴を開けると卵の腐ったような匂いが漂った。火を近づけると青白い炎が 50cm も上って燃えた。氷の下にはメタンガスが溜まっていたのだ。メタンガスは二酸化炭素の 25 倍の温室効果のあるガスである。凍土の中に残っていた動物の死骸などの有機物が微生物によって分解され発生したのである。一度メタンの放出が始まると温暖化が加速され更に凍土が溶ける悪循環となることが懸念される。博士は凍土が全部溶けると温暖化は2倍に加速するだろうと警告している。モンゴルは国土の 6 割が永久凍土で占められている。悪影響でウランバートル近郊のホンホル地区の学校では、地盤が緩み建物が傷み補修を繰り返している状態である。凍土が融解すると土壌の水分が不足して草原の草が育ち難くなる。これは凍土地域は、夏になると凍土の表面が少し溶けることによりその水で夏の間植物が育つことができるからである。凍土がなくなると植物は育たず食べ物がなく、厳しい冬の寒さで家畜が大量死する。「ゾド」と呼ばれる寒波がある。2010 年の寒波では、約 850 万頭の被害があったという報告もある。ソドを予告し見込まれる年は、肉を前もって処理し永久凍土を利用して天然の冷蔵庫として活用する研究が 2015 年から始まっている。

（4）ナイジェリア

温暖化により豪雨や高潮等の水害対策として、ナイジェリア最大の都市ラゴス沿岸部のマココ地区で、2013 年に度々発生する浸水被害を減らそうと水に浮かぶ学校が試作された。約 10 万人が浅瀬に高床式の住居を建て、同地区に暮らす人々を温暖化の被害から救おうと、適応策の一環で国連開発計画の支援を得てナイジェリアの建築家が設計した。海面上昇に伴って同地区では、暴風雨で家が流される被害も増えている。屋根に太陽光パネルを張った底面 10m 四方で 100

人の収容が可能で水没の危険性がないため、災害時の避難所としての役割も果たす役割もある。

（5）テムズバリア

英国で首都ロンドンをテムズ川の洪水から守っているのは、下流に設置されたテムズバリアと呼ばれる全長520mの防潮堰がある。テムズ川は河口付近で低気圧が発生すると、海水が逆流し易く繰り返しロンドンに洪水被害をもたらしてきた。テムズバリアはこうした被害を防ぐため1980年代に建設され、高潮発生が予測されると堰を閉じ災害を防いできた。しかし近年海面上昇により堰を閉める回数が多くなり更なる対策が迫られている。こうした自然災害に対する対策が徐々に高まり、災害による被害を小さくする取り組みが始まっている。

（6）泥炭火災

平成22年になりシベリアで温暖化による泥炭火災が発生し、飛行機の離着陸に影響が心配された。

近年、寒気団の居座りや日本の上空まで張り出す寒気団は、北極の温暖化によるジェット気流の流れに影響を与えた気流の流れが大きく蛇行して南まで張り出し北極の寒気の吹き出しが世界的に異常気象をもたらしていると考えられている。平成17年8月の大型台風カトリーナは、フロリダ半島を横断してメキシコ湾からルイジアナ、ミシシッピと被害をもたらし、死者1300人を出し11兆円超の大災害をもたらせた。5年が経過したニューオリンズ入りをしたオバマ大統領は、ニューオリンズが元に戻るまで私の政権は共に戦う。と被害の大きさと復興の大変さを演説した。日本でも連日うだるような暑さや梅雨時の前線豪雨により、平成22年7月の広島県庄原市の深層崩壊による土砂災害、ゲリラ豪雨等の異常気象が現実の問題となってきている。

地球温暖化の影響で、気温が上昇すると空気中に含むことのできる飽和水蒸気量は増す。加えて海水温の上昇で、空気中に含まれている水蒸気量が増えている。その影響で、低気圧が発生すると発達して大雨になったり、時には台風並の激しい雨となることがある。梅雨は昔は、しとしととした長雨といわれたが現在は大雨や、梅雨前線が停滞し九州、広島等で激しい長雨で大雨災害を起こしている。冬の日本海側の豪雪地帯は、大陸からの気団が黒潮から分かれた温かい暖流の対馬海流を通過するとき水蒸気をたっぷりと含み大雪を降らせている。かつては北海道では積もる大雪は少なかった。雪が降っても寒さのため細かくさらさらとした雪で風で吹き飛ばされ極端に積もることは無かった。豪雪地帯では急な大雪で交通止や除雪に悩まされている。北アメリカの豪雪が報じられるがこれも地球温暖化による空気中の水蒸気量が増して豪雪になっているではないか。

環境問題は、社会変化と違いゆっくりと変化し、人間は目新しい内は関心を示すが繰り返すと慣れが生じて鈍感となる。森林は木材価格が低く稼業としての価値が無いからと森を手入れをせず放置してはならない。森林には、空気中の二酸化炭素を固定したり生き物が棲む地球環境として太陽の光エネルギーで光合成をすることで地球の動物たちの生命活動を支え命をつなぐ重要な役割を果たしている。環境問題も生命の維持や持続に大切な役割を担う緑の草本植物や森林が果たす限りなき恩恵を理解して、稼業としての価値は低いが森を手入れをせず放置してはならない。また森林は、空気中の二酸化炭素を固定している。生き生きとした森林にするために木材の活用と森の保全を考え森林面積の拡大が求められている。

（7）大雨災害の多発

日光鬼怒川の氾濫に起因した線上豪雨。平成 17 年 7 月の北九州の大雨災害。西日本大雨は、平成 30 年(2018 年)7 月梅雨前線が南から暖かく湿った空気を呼び込み、北から冷たい偏西風が大きく蛇行して南下し記録的な大雨を降らせ、各地で土砂災害や川の氾濫、冠水が起こり、10 日現在で死者 126 人、行方不明 86 人の犠牲者を出し甚大な被害をだした。

活溌な梅雨前線による大雨で 2019 年 7 月 14 日広島県で、土砂崩れが発生して一人が死亡、一人が行方不明となった。令和 2 年の日本付近に居座るように前線が 7 月初めから 15 日で 12 日間となり島根県で河川が氾濫して被害が広がった。異例の長雨は 2018 年の西日本大雨の 11 日間を上回った。

いずれも梅雨前線やたっぷりと水分を含んだ気団が、一カ所で居座るように長時間大雨を降らせることで大雨災害となったという特徴がある。

（8）マッデン・ジュリアン震動

「熱帯地方で上空の風や気圧が 1～2 ヵ月の周期で変化している。」と米国の気象学者マッデン氏とジュリアン氏が 1971 年観測データからこうした変動を見つけ、巨大な雲の群れの動きが原因と予測した。その後人工衛星の観測等により確認された。雲の群れができる要因となっているのは暖かい海の存在で、インド洋は海面の水温が高く大気が約 1 週間かけて水蒸気をたっぷり蓄え上昇して雲が発達して高さ 15km に達すると、巨大な雲となり東西に数千 km に及ぶ雲の列が 20km/時の速さで東に進んでいると考えられ、インドネシアの島々を抜け太平洋の日付変更線の辺りで消滅する。これをマッデン・ジュリアン震動現象と呼んで、エルニーニョ現象発生の切っ掛けとなったり、台風、ハリケーン、寒波など中緯度の天候に大きな影響を及ぼしていると考えられている。赤道付近では東から西へ貿易風が吹く、一方マッデン・ジュリアン震動の雲の北側では、西から東へ西風バーストと呼ばれる強風が吹く。双方がぶつかると渦巻きが生じて熱帯低気圧が発生し発達して台風となっている。マッデン・ジュリアン震動の雲は太平洋に入り消滅しても、赤道を一周するように吹き続けている。これが離れた地域の気象にも影響をあたえている。平成 12 年 10 月アメリカ東海岸を襲ったハリケーン・サンディはこうした西風がカリブ海で東風とぶつかり発生したと考えられている。

令和元年ヨーロッパは、アフリカの砂漠地帯より乾燥した空気が流れ込み水不足に陥り、ドイツでは乾燥により森林火災が発生したり、70%の森林が乾燥の影響を受けると予測されている。インド洋の海水温の上昇も、北アフリカ、アラビア半島、西アジアからの砂漠地帯の乾燥した空気がヒマラヤ山脈に遮られインド洋に流れ込む地形となっているため、水温を上げている要因となっていると考えられている。内戦が続くシリアの混乱は、2006 年から数年間温暖化による干魃で水不足と農業生産の減少により農業をあきらめた住民が 150 万人都市に流入して食品価格が高騰したことも一因とされ、これに反体制派が拡大して過激派組織の胎動をつくり欧州へ大量の難民が流入したといわれている。

平成 22 年になりシベリアで温暖化による泥炭火災が発生し、飛行機の離着陸に影響が出ると心配された。近年の温暖化の中の寒気団の居座りや日本の上空まで張り出す寒気団は、北極の温暖化によりジェット気流の流れに影響を与え大きく蛇行して南まで張り出している影響と考えられている。これが世界的に異常気象をもたらしていると考えられている。日本でも連日うだるような暑さや梅雨時の前線大雨により、平成22年7月の広島県庄原市の深層崩壊による土砂災害、ゲリラ豪雨等の異常気象が現実の問題となってきている。地球温暖化の進行に伴って大西洋で発生したハリケーンが衰え難くなっているとの分析結果を沖縄科学技術大学院大のチームがまとめた。ハリケーンの勢力を強める役割の水蒸気量が海面温度の上昇で飽和水蒸気量を増加し、上陸後も勢力が強い状態が続き豪雨を起こしている。研究チームは、1967～2018年北大西洋上で発生し、北米のメキシコ湾や中米、カリブ海の島に上陸した71個のハリケーンの観測データを分析、50年前には、上陸後に40%が勢力の弱まる時間が17時間だったのが、現在は33時間と約2倍になっていると分析している。

世界の異常気象の中で圧倒的に多いのが1980年以降洪水による被害が増加している。特に2000年代になると100～140件多く、その内アジアが約1/3を占めている。また干魃による被害も増加している。

（9）エルニーニョとラニーニャ現象

エルニーニョ（スペイン語で神の子）とラニーニャ（スペイン語で女の子）

ラニーニャ現象は、赤道付近の日付変更線付近から南米ペルー沿岸にかけての広い海域で、海面水温が平年に比べて低くなり、その状態が半年から 1 年程度続く現象で、数年に一度発生している。これとは逆に海水温が平年より高い状態が続く現象をエルニーニョ現象という。このエルニーニョ現象が終息した反動でラニーニャが発生するケースが大半である。気象庁はエルニーニョ発生海域南緯 5° ～北緯 5° 、西経 150° ～西経 90° 、平均海水温（その年の前年から過去 30 年間の平均海水温） との差が月移動平均値（その月と前後 2 ヵ月、つまり 5 ヵ月の平均気温、例 6 月だと 4～8 月までの平均気温）が 6 ヵ月以上つづけて+0. 5℃以上になった場合をエルニーニョ現象と呼び、−0. 5℃以下になった場合をラニーニャ現象という。

この現象が続く原因は正確には解明されていないが、法政大学文学部地理学科山本茂教授は、エルニーニョが起こる前に西部太平洋の赤道海域の広範囲に海水温が高まることがあり、これが原因となっているとの考え方もあり有力である。

通常太平洋は、貿易風により赤道上で温められた海水がインドネシア付近の太平洋西岸に寄せられ気圧は下がり低気圧となっている。南アメリカペルー沖では冷たい海水が湧昇流となって冷水海となり大気は冷やされ高気圧となっている。この気圧配置で貿易風が吹いている。貿易風は通常クリスマスから 3 月頃まで弱まり春になると回復するが、何年かに一度春になっても回復しないことがある。すると湧昇流も弱まりペルー沖の高気圧とインドネシア側の低気圧も弱まりエルニーニョが発生すると考えられる。エルニーニョが発生すると温かい海水は東に移動して太平洋の中央に進出し海水の温度が上昇する。これによってウォーカー循環と呼ばれる赤道付近の大気の循環が変化して世界各地で異常気象が発生する。日本ではエルニーニョにより暖かい太平洋高気圧が東に遠ざかり冷夏となる。範囲は本州から北海道、サハリンオホーツク海地域が冷夏となり、インド、アフリカ北緯 20° 周辺の砂漠地帯、ヨーロッパのフランス～ドイツは高温となる。冬は日本は暖冬となり、アフリカ南部からインド、オーストラリア北部からインド洋にかけて暖冬になる傾向にある。

温暖化の影響か2000年以降東太平洋の海水温が上昇しておりエルニーニョと似た別の現象が起こるのではと心配されている。

Ⅳ章　小山町の豪雨災害のメカニズム

1. 平成22年(2010年)9月台風9号による小山町豪雨災害

平成22年(2010年)9月台風9号による小山町豪雨災害は、台風9号が静岡地方気象台の速報によると、9月7日に日本海より福井県敦賀市に再上陸後、中部地方を南東に進んで静岡県に入り、翌8日15時に温帯低気圧となり、その後極めてゆっくりと富士山の山梨県側を東に進んだ。台風崩れの水蒸気を多量に含んだ温帯低気圧は居座るように極めてゆっくりと東に進み小山町の降雨量研究家與五沢経雄氏の資料で、小山町に記録的豪雨を長時間にわたりもたらした。小山町大洞で時間雨量69～123㎜が7時間に及び、総雨量686㎜という小山町でかつて経験したこともない記録的豪雨となり、山は崩落して土砂が流出、川は氾濫して河川の堤防は至る所で決壊した。更に土砂は住宅に流れ込み、家屋は倒壊・流失等の大災害を被り、小山町災害対策室の統計で総額38億4244万6千円の被害に及んだ。

被災状況小山町役場9月28日現在

避難者5箇所168世帯350人、住宅全壊6戸、大規模半壊7戸、半壊13戸、床上浸水27戸、その他全壊7戸、その他大規模半壊2戸、その他半壊1戸、その他床上4戸、土砂崩れ92箇所、水路被害

32 箇所、護岸決壊 14 箇所、道路崩落 29 箇所、河川被害 12 箇所、倒木 6 箇所、土嚢要請 24 箇所、通行止め 20 箇所、断水 0，停電 0

台風 9 号による被災額推定

・公共土木施設災害(9 月 21 日 12 時現在)河川 35 箇所(924, 300 千円)道路 45 箇所(1, 412, 100 千円)計 2, 336, 400 千円

・農地、農業用施設災害 22 日 21 時現在農地 201 箇所(563, 500 千円)農業用施設(490, 000 千円)計 1, 053, 500 千円

・林道災害 16 日 17 時現在林道 5 線 37 箇所(351, 750 千円)小災害(9, 240 千円)

・水道施設災害 22 日現在排水施設災害配水管 3 箇所(14, 000 千円)

・公立学校施設災害 16 箇所 幼稚園 1 園(45, 456 千円)中学校 1 校(32, 100 千円)計(77, 556 千円)総計 3, 842, 446, 100 円

2. 小山町での豪雨発生の要因

（1）温暖化と飽和水蒸気量

空気中の飽和水蒸気量は、気温が上昇し高温になると飽和水蒸気量の曲線は急勾配に上がる。近年温暖化の影響で空気中の水蒸気量も増し、加えて海水温の上昇は海面よりの蒸発を活発にしている。このため南方洋上に熱帯性低気圧が発生し台風となると急速に発達し

大型化して強風や豪雨を降らせる。水は蒸発するとき周りから気化熱を奪い、その気化熱は雨になると放出される。これが台風のエネルギーとなって近年の台風は大型化している。また低気圧が発生すると発達して海から暖かく湿った空気が流れ込み曇天や雨の日が多くなっている。特に梅雨時や秋雨の時期になると、近年は雨や曇天日が続きスッキリとした快晴も少ない。日照不足で農作物の生育にも影響が出ている。

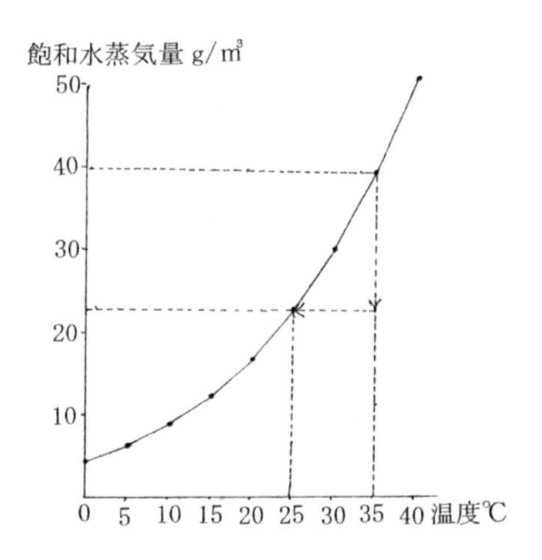

図2 飽和水蒸気量

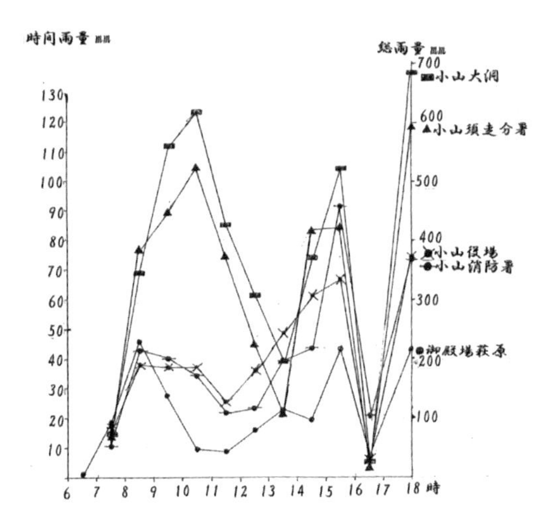

図3　台風9 号による時間雨量

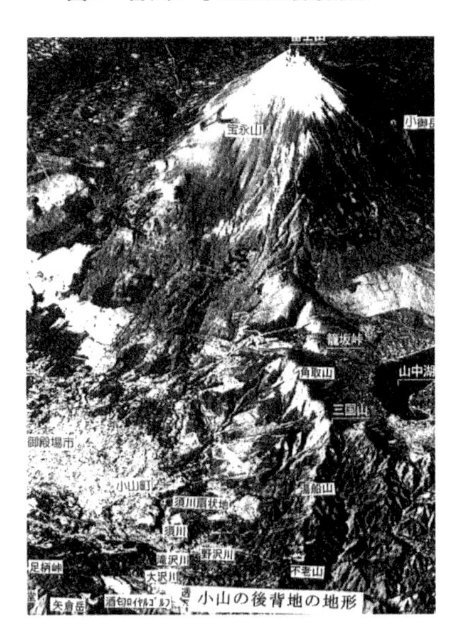

図4　小山町の後背地の地形

（2）地形と風向き（懐状地形）

小山町の地形を高所より俯瞰すると西丹沢の不老山—湯船山—角取山—立山と富士山がほぼ直線状に連なり、1000m級の壁のような地形となっている。その壁は3つに分かれるように尾根が長く伸び、尾根の内側は永年の雨水の侵食で急峻でカール（圏谷）状に深く侵食して切り立った三つの懐状（フトコロジョウ）の地形（野沢川水系・須川水系・佐野川水系）となっている。

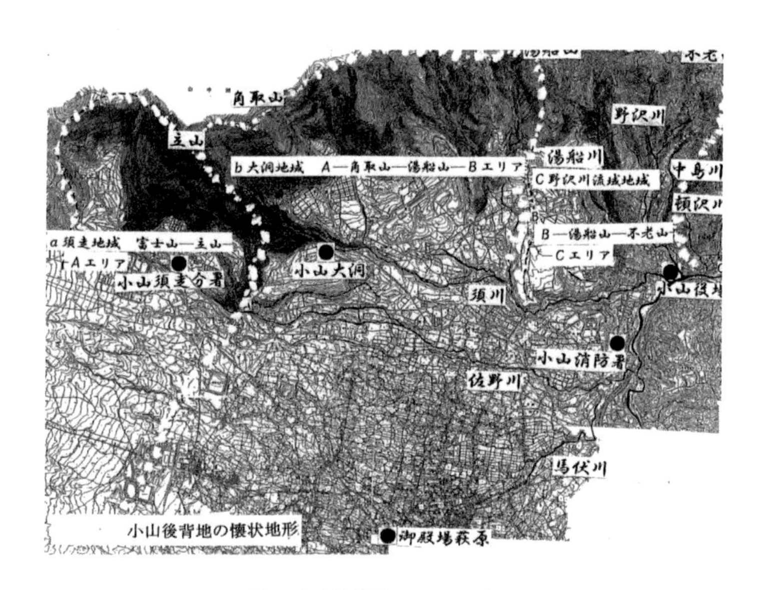

図5　小山後背地の三つのエリア

①　野沢川エリア

野沢川水系は、中島の集落（標高350m）より不老山（標高928m）まで

19/100 の急傾斜面となり、川の側面は各所で崩落し嶺の近くの斜面は、あたかもお椀の底から仰ぎ見るようにそそり立ち覆い被さるような懐状地形となっている。

② 須川エリア

須川水系は、湯船山(標高 1040.9m)から麓の上野の集落まで水平距離で 2.8km、標高差 480m と 17/100 の急崖地で、角取山—湯船山間が深く侵食され急崖な懐状地形となっている。

③ 佐野川エリア

佐野川水系は、富士山—籠坂峠—立山—角取山に囲まれた地形で、富士山に当たる風が丹沢山系との谷間を籠坂峠に向かって収斂して山中湖へ山越えをする懐状地形を示し、普段でも霧の発生しやすい地形となっている。

上記の(1)と(2)を総合して考察すると台風 9 号は、温帯低気圧に変わっても風速が弱まっただけで、たっぷりと水蒸気を含んだ気塊であり、その温帯低気圧が速度を弱め居座るように山梨県側にあって、温帯低気圧の湿った風を左回りに南東方向から小山町の 3 つの懐状地形に吹き込み、収斂して積乱雲となり記録的豪雨を長時間降らせた。小山町が豪雨災害に見舞われるのはこの特異なそそり立つお椀の側面を斜めに切り取った如き山の懐状地形が関与していると考えられる。

3. 豪雨災害をもたらす気団の動き

小山町の豪雨災害は、たっぷりと水蒸気を含んだ台風が弱まり温帯低気圧となった気団が居座るような動きで1時間雨量50㎜以上の豪雨が6時間に及び降らせたことに起因している。平成30年(2018年)7月の西日本大雨災害や平成27年(2015年)9月の日光鬼怒川の線上豪雨帯による豪雨、平成29年(2017年)9月の北九州の梅雨前線による水害も共に水蒸気を多量に含んだ湿った動きの遅い気塊が一カ所に長時間大雨を降らせたことに起因している。このように豪雨災害の要因は、活溌な雨雲の気塊や気団の動きが遅いことが長時間雨を降らせ豪雨災害に深く関与している。

4. 破壊、決壊場所

豪雨時に破壊や決壊の起こりやすい場所は、流水は直線的に流れるため、川の流れが曲がる曲流点で護岸が破壊されることが多い。橋に橋脚があると水は橋脚に当たり左右八の字に分かれることで橋の両側の護岸が破壊される。また、橋脚が狭いと、流木が掛かり易く流れが遮られ、越水・決壊・浸水を起こすことがある。川に砂防用堰堤があると、堰堤の左右の護岸が破壊されることが多い。堰堤から落下する土石流状の濁流は、河床を滝壺状に侵食し護岸の基礎を浮かせ裏込め用土砂が流出して護岸は破壊される。

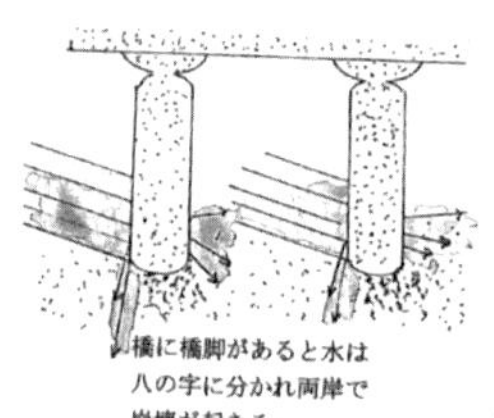

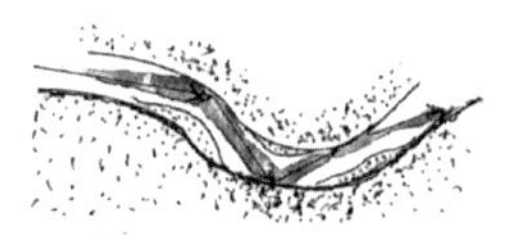

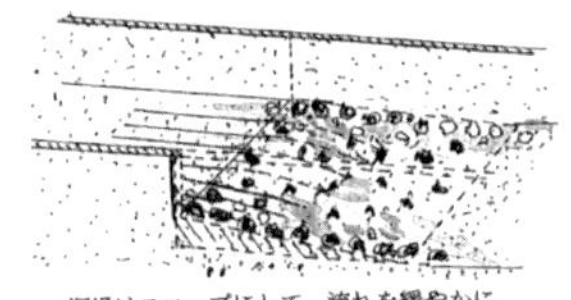

図6　洪水による決壊原因と防災対策

5. 破壊・決壊のメカニズム

河川勾配の大きい河川の洪水の内部は土石流となっている。平成22年(2010年)9月の台風9号による野沢川の氾濫で決壊・流失した下野沢橋に面した我が家の一階の車庫は、橋の橋脚に流木が掛かり堰き止められた濁流が一気に溢れ、濁流は1階の車庫兼物置に溢水して水没した。溢れた濁流は、川床より6.85m水位を上げ2階の居間まで後30cmまで迫っていた。水が退いた後車庫に土砂が1.3m堆積し、算出すると濁流は表層流で約40%(容積比)の砂礫を含んでいた。洪水で氾濫した野沢川の写真には、水面から跳ね上がる飛沫は濁り水だけでなく、大きさ20～30cmの岩石が飛び交っていた。昔のカメラでは飛沫は流れる飛跡としか写らないがデジタルカメラは瞬時を捉えるため、岩石が水面を飛び交う様子を映し出していた。時折、岩塊が濁流の中を転がり護岸に当たる衝突音、巨岩同士がぶつかり合い出すゴッツン、ゴッツンという不気味な音を立て流れていた。

決壊した下野沢橋上流の護岸は、約4mの高さに野積みの石垣を積み上げ、裾を1.3mの高さまで33cmの厚さのコンクリートで巻くように補強された護岸が決壊した。決壊は、決壊場所から約32m上流に落差50cmの堰堤があり、洪水は4m水位を上げて流れていた。濁流中の岩石は、4m水位を上げた様々な高さから濁流と共に落下して、河床の床固用コンクリートのブロックに跳ね返され、野積みの石垣を下から突き上げる衝撃力で上段から順に剥がされるように崩し決壊した。水が退いた後約4m上の道路上には、大きさ20～30cmの岩石がうちあげられ、野積みの石垣部分が崩れたコンクリート補強の1.3m上の懐地に直経50～60cmの岩石が打ち上げられていた。

また、下野沢橋が決壊した護岸の下から砂礫に埋もれ破壊の原因となった1m前後で重さ2t程の巨岩が復旧工事で10数個出てきた。この事は、洪水の本体は急崖地の濁流は正に「土石流」となり、氾濫する洪水の中を2tの岩塊が1.3mも跳ね上がり流れていたことを示している。水は直線的に流れようとする。流れの方向が変わる曲流点では、土石流状で流れる大小様々な岩石が護岸に連続的に衝突し護岸は衝撃の破壊力で崩壊される。破壊のメカニズムは、運動している岩塊と衝突される物体との運動量の関係にあり次の式で表される。

M×V=m×v(M:衝突する物体の重さ kg,m:衝突される物体の重さ kg,V 衝突する物体の速度 m/秒,v:衝突される物体の速度 m/秒,)

6. 河川や護岸の決壊のメカニズム

洪水は直線的に進み、流れの方向が変わる曲流点では、洪水中の大小様々な岩石が護岸に連続的に衝突して護岸を破壊し決壊させている。護岸を野積みの石垣やコンクリートブロックで旧来の石垣の裏側は埋土で積んだ護岸は、洪水時に衝突される切石・コンクリートブロック 1 個に衝撃力が集中するため、強い衝撃力で押し出され抜けるように順に破壊されている。しかし、野積みの石垣の基礎部分を厚さ 33cm のコンクリート壁で巻くように補強した護岸は、巻かれたコンクリートで護岸が一体化し衝撃を全体で受け止め運動量保存則で衝撃が小さくなり破壊されていない。こうした現象は、自然石を橋脚や護岸の基礎部分にコンクリートで埋め込んだ場所は、周りが破壊されても破壊されずに強固であることを意味している。

平成の水害：4m 水嵩を増した洪水中の岩塊が50cmの落差の堰堤でも
それぞれの高さより落下して河床に跳ね返され逆巻く

平成の水害：洪水中の岩石が落下し川床のコンクリートブロックに
跳ね返され、野積みの護岸をしたから突き上げ決壊した

下野沢橋は、氾濫した野沢川が鮎沢川に合流する場所で橋の中央に橋脚があり、氾濫時には上流から流木が流れて来ては護岸と橋脚の間を塞ぐように掛かるが、氾濫の初期は殆ど流されていた。しかし、長尺の丸太・折れにくいケヤキや生タケは橋脚に巻き付き次々と流木が掛かり流れが止まり水位が上がって両岸の音淵区・落合区の市街地は浸水した。しばらくして下野沢橋は膨大な水圧で一気に跡形もなく流失した。この時浸水した音淵区では急に水位が 1m 位下がったという。

小山町役場横の鮎沢川の護岸の決壊は、約 11m 上流に高さ 2m の砂防用の堰堤があり、その先に大氾濫した須川からの岩石を多量に含んだ土石流状の洪水が合流し 4m 水位を上げ流れていた。水嵩を上げた濁流は堰堤より約 11m 先の河床に岩石諸共激しい勢いで落下し、滝壺を抉るように連続して河床を侵食して護岸は基礎部分が洗われ裏込めの土砂が流出して決壊した。

平成の水害：基礎が洗われ決壊した小山町役場裏の鮎沢川の護岸

河川に堰堤(段差のある構造物)があると、洪水中の岩塊は「堰堤の高さ＋濁流中の岩塊の高さ」の位置より濁流諸共河床に激しい勢いで河床に突き刺さる様に落下して滝壺を抉るように侵食する。例え50cm の堰堤でも、水嵩を増すと濁流中の岩塊がそれぞれの位置より濁流諸共落下して川床を侵食し両岸の護岸の決壊要因となっている。

台風９号による豪雨災害で須川流域のわさび田が大災害を受けた。これは小山町で降水量が最も大きかった上野・大御神地区の大洞で最大時間雨量 123mm、総雨量 686mm という記録的豪雨が 7 時間に及び、須川水系の傾斜地は至る所で土砂崩れを起こし、曲がりくねったわさび田の護岸は各所で決壊し、洪水が収まった川は直線的に流れを変え、わさび田は広い谷間の河原と化した。

湯船山に登る入口に山口橋がある。普段は落葉樹の森を小川が流れている程度の谷川で野沢川の支流である。この小川が豪雨で氾濫して多量の土砂が流れ一面に広い砂礫の河原と化した。山口橋は、橋下 6m が流砂で埋まり、土石流状態の濁流は溢水して道路を流れ、柳島の集落に流れ込み大災害をもたらした。柳島集落の流域は過去の川の氾濫で流砂が堆積した場所で、各所で土砂崩れが起き道路は崩れ一時集落の一部が孤立した。本流の野沢川は、7〜8m 高い流域の耕地に溢水して土砂が堆積し広い河原と化した。上流の谷間も流砂で 10 数 m 以上も埋まってしまった。一度の豪雨でこのような大量の土砂を流した小山町の豪雨による土砂災害は驚異である。

平成の水害：洪水が直線的に流れ破壊された須川の護岸

7. 昭和47年(1972)7月12日小山町集中豪雨

昭和47年(1972)7月12日小山町集中豪雨で音淵区六合橋の50m上流左岸が決壊した野沢川は、鮎沢川の支流で河川の長さは短く流域面積も狭い。流域の地形は、野沢川と鮎沢川の合流点で標高275m、不老山から湯船山にかけて1000m級の嶺に囲まれた急峻な山懐状の地形となっている。ここに台風からの湿った空気が流れ込み収斂して豪雨となった。山地を流れ落ちる豪雨は各地で土砂崩れを起こし、河川は増水・氾濫し、中島の農業用ダムは溢水し決壊した。

7月12日午前7時50分自宅前の六合橋で、見る見る間に野沢川の水位が1.5m以上上がった。六合橋の橋脚に生竹やケヤキの流木が掛かり一気に水位が上がる。増水した濁流は8時に対岸の細谷商店横の防護壁を乗り越える。続いて六合橋は濁流を飲みきれず飛沫を上げ溢れ音淵の商店街に流れ込み橋の近くの家屋が浸水した。8時10分水位が下がり始め、橋より50m上流の石井さんの家がやや傾く、家の中から慌ただしく荷物を運び出す数人の人、5分位で家がぐらっと大きく傾き濁流に流される。これが橋脚に掛かったら一大事、濁流は一気に溢れ付近は浸水して大惨事になる。息を飲んで見守る一瞬、一塊になって流れる家屋は、橋脚に当たり音も立てず、流れも変えず真っ二つに割れて流れ去った。濁流の威力に息を飲むばかり。

程なくして、なんとなく大西米穀店前の道路のアスファルトが下がったように感ぜられる。間もなく道路に亀裂が生じアスファルトが濁流に沈み込んだかと思うと、あっという間に道路は大西米店の軒先まで流失してしまった。水の退いた後決壊場所には過去の決壊の跡が残っていた。洪水と決壊の脅威を感じた40分の出来事でした。

8．令和１年(2019)10月台風19号(地球温暖化と海水温の上昇で超大型化した台風19号の豪雨災害)

10 月 6 日に南鳥島近海で発生した台風 19 号は、海面の水温が 30 度前後のマリアナ諸島付近を通過する際エネルギー源となる水蒸気を大量に取り入れ急速に発達した。通常台風は北上して水温の低い日本近海域に入ると勢力が弱まるが。日本の直ぐ南側の海域の水温が 10 月としては平年より 1～2℃高い 27～28℃度であったため勢力を維持したまま 8 日には中心気圧 915hp、最大風速 55m の猛烈な勢力で、やや勢力を落として 12 日午後 7 時前伊豆半島に上陸した。台風19 号の規模は暴風域が 12 日午後 6 時現在紀伊半島から石川・福島の範囲を包む半径 380km で強風域が日本の本州をすっぽりと覆う超大型の台風で、関東地方を略直線的に縦断し約半日ゆっくりと巨大な勢力で豪雨と強風が吹き荒れ、13 日午前 1 時過ぎ三陸沖に抜け温帯低気圧となった。大雨特別警報が静岡県など 1 都 12 県に出された。強風と通常の 3 ヵ月分の豪雨で信越から東北地方にかけ広範囲に河川が氾濫して各地に甚大な被害を及ぼした。

台風19号による小山町の災害

① 小山町の災害

被害状況10月24日17時現在土砂崩れ等(流出･流入･崩落含む)69件、家屋損壊・浸水等16件、(未確定:施設半壊1件・一部半壊2件・床上浸水6件・床下浸水5件)、道路損壊等48件、通行止め(国・県・町道)23件、護岸崩落20件、水路被害26件、人的被害0件、総件数179件、総被災額約7億6000万円超の甚大な被害を受けた。

② 山地の被災状況

山地の被害は箱根火山の北麓に集中した。深く侵食された渓谷を流れる大沢川は、左岸の山の斜面の林床が綺麗に洗い流されたように豪雨で流され、各所で土砂流出が起こり塩沢中部層が露出していた。東名高速道路の下を過ぎた山の入り口付近の道路には、倒木・崩落・間伐材が折り重なり道を塞いでいた。林道は、大沢川の中流の橋に流木が掛かり塞がれて、溢れた濁流が道路を流れ林道の入り口まで深く侵食した。しかし風陰になった右岸は雨水による被害は見られない。住宅の裏山が崩落した家の主婦は、12日午後11時に避難解除になり家に帰ったら裏山が崩れていたと驚きを話された。台風19号の強風は、大沢川の入り口より北東方向から吹き込み渓谷の南斜面に当たり吹き上げ豪雨を大沢川の左岸に降らせ被害が集中した。しかし、右岸は対照的に被害が殆どなかった。これは2010年9月の小山町の豪雨災害でも同様の現象が見られた。滝沢川は大沢川に隣接し西を南から北に平行して流れている。住宅は川の入り口の開けた場所に、急勾配の河川を階段状に堰を設け、川の両岸は石垣を約2m以上積み上げ、河床をコンクリート張りにして水害から家を守るようにして建てられている。住宅地の護岸は、決壊5カ所、石垣の崩れ8カ所被災した。東名高速道上り線より上流では、滝沢川の左岸が大沢川同様に決壊や崩落が激しく被災した。数多くある枝沢は、普段は涸れ沢で入り口付近でせせらぎ程度の水が流れている。豪雨で枝沢から押し出された間伐材や土石が道路一面に散乱して道が塞がれていた。左岸からの4本の枝沢は、流木が押し出され土石が散乱し、特に2本目が激しく5本目は殆ど被害はなかった。更に上流の傾斜角50度の崖状の斜面では、立木ごと地滑りを起こし道を塞いでいた。

③ 犬の平

犬の平住宅地には、犬の平沢1と桃山沢流域に降った豪雨が、表層の砂礫を沢に流し、流砂状の洪水が犬の平に溢流した。押し出された砂礫は、被災場所の内田肇さんが、母親から沢の水量の異状を電話で受け自宅で警戒していた。濁流が水路から溢れて広場に流れ出すのを見て、12日午後7時40分特別養護老人ホームに避難を呼びかけた。連絡を受けた職員は、1階にいた利用者全員を2階に避難させて無事であった。砂礫は施設の一階窓下183cmまで厚く堆積した。老人ホームの大窓のガラスは破損しなかったが腰窓が割れ土砂が流入した。土砂は更に前庭から裏庭まで広い敷地は砂礫で埋め尽くされた。一階は最大50cm浸水し食堂には土砂が堆積した。時刻は台風が伊豆半島に上陸した時で、災害場所は箱根山を挟んで反対側の位置で東名ゴルフ場を背にして足柄峠標高747.6mの西の斜面の山懐に風が吹き込み豪雨となった。近接地にいた筆者は同時刻に突風の如き強風が音を立て吹いていた事を耳にしている。

9. 小山町における台風による豪雨災害の共通性

平成22年(2010年)9月台風9号による小山町豪雨災害と令和1年(2019年)10月の台風19号による豪雨災害の災害発生のメカニズムと小山町の被災場所より災害危険区域を探る。

河川勾配の大きい小山町では、河川が氾濫している洪水の内部は土石流状態で、砂礫と共に濁流中の岩塊は高密度の液体から受ける浮力で軽くなり岩石が河床に跳ね返されボールが弾むように流され護岸や岩石同士が衝突して跳ね返されながら流されている。直径20～30cmの岩石は水面を飛び出し、底流層は重さ数tから20t以上の巨岩までゴッツン、ゴッツンと鈍い衝撃音を立て流されている。河川の決壊は、洪水中の岩石、巨岩の衝突による衝撃力が主でこれに激流の水圧が加わり、連続的に衝撃力や水圧が加わる河川の曲流点や河川の幅が狭くなっている場所で決壊を起こしている。河川に砂防用の堰堤等の段差がある場所は、土石流中の岩塊の落下による衝撃力と落下する水の水圧で河床が滝壺状に侵食され決壊が起きている。

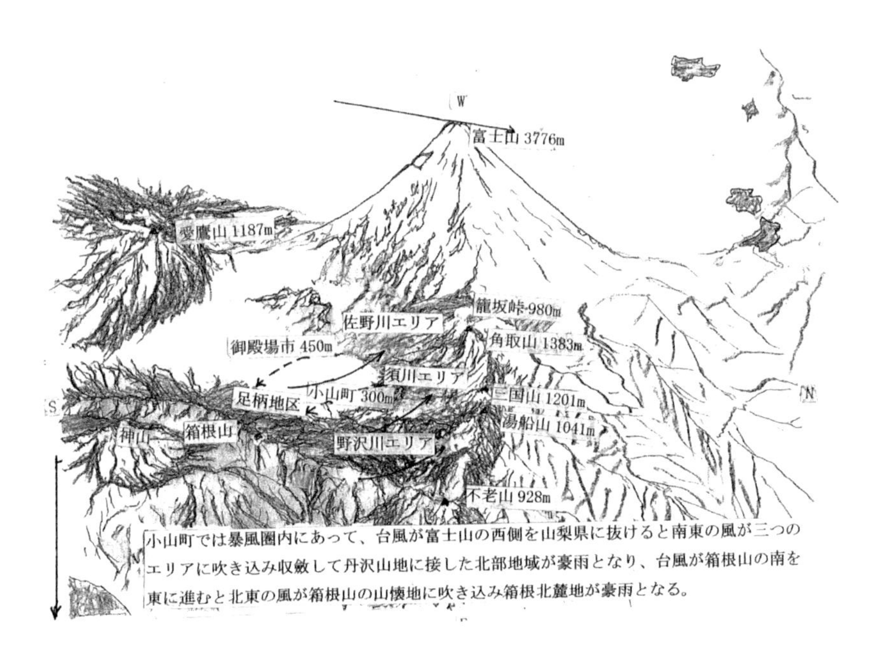

図7　小山町での豪雨災害の特性

小山町では平成 22 年(2010)9 月台風 9 号が温帯低気圧となり南西の富士山の山梨県側にあって、略直線上に並ぶ富士山—立山—角取山—湯船山—不老山の嶺々が永年の侵食によりカール状の懐状（フトコロジョウ）地形となっている三つの懐状地形に、台風崩れのたっぷりと水分を含んだ温帯低気圧がゆっくりと東に移動しながら長時間連続的に南東の風を吹き込み、収斂して積乱雲を発生して時間雨量 50㎜ の豪雨を 6 時間に及ぶ長時間豪雨を降らせ大災害となった。

小山町では台風が富士山の西側を山梨県に向かって通過すると北に山を背負った地域に豪雨が集中する。

令和 1 年(2019 年)10 月の台風 19 号による豪雨災害は、超大型の台風が 12 日午後 7 時前伊豆半島に上陸した。台風 19 号の暴風域は 12 日午後 6 時現在紀伊半島から石川県・福島県の範囲を含む半径 380km で強風域は日本の本州をすっぽりと覆う超大型の台風で、熱海・小田原から関東地方を略直線的にゆっくりと縦断し、13 日午前 1 時過ぎ三陸沖に抜け約半日間巨大な勢力で豪雨と風が吹き荒れ三陸沖に抜け温帯低気圧となった。

小山町では台風の位置関係で、台風が南の太平洋側を東に進むと天城、熱海地方が豪雨となり、風の向きが東から北に変わり北東の風が小山町の箱根山の北斜面の懐状地形や斜面・谷川の入り口の開けた場所に吹き込み豪雨を降らせ、山地は南西の斜面に倒木・崩落が起こり土砂災害を起こしている。

小山町では、台風の勢力圏内にあって箱根・小田原方面を東に通過した台風 19 号は、箱根山の北斜面に面した河川や山地に豪雨や土砂災害が集中させた。降水量を見ると町の北部の須走 462mm、中間地域御殿場市萩原 534mm と南の箱根山の北斜面に面した足柄 833mm、足柄桑木地区 833mm、小山町小山 671mm と箱根山の北面に豪雨が降り災害が集中した。

10. 日本の広域に被害を及ぼした台風 19 号

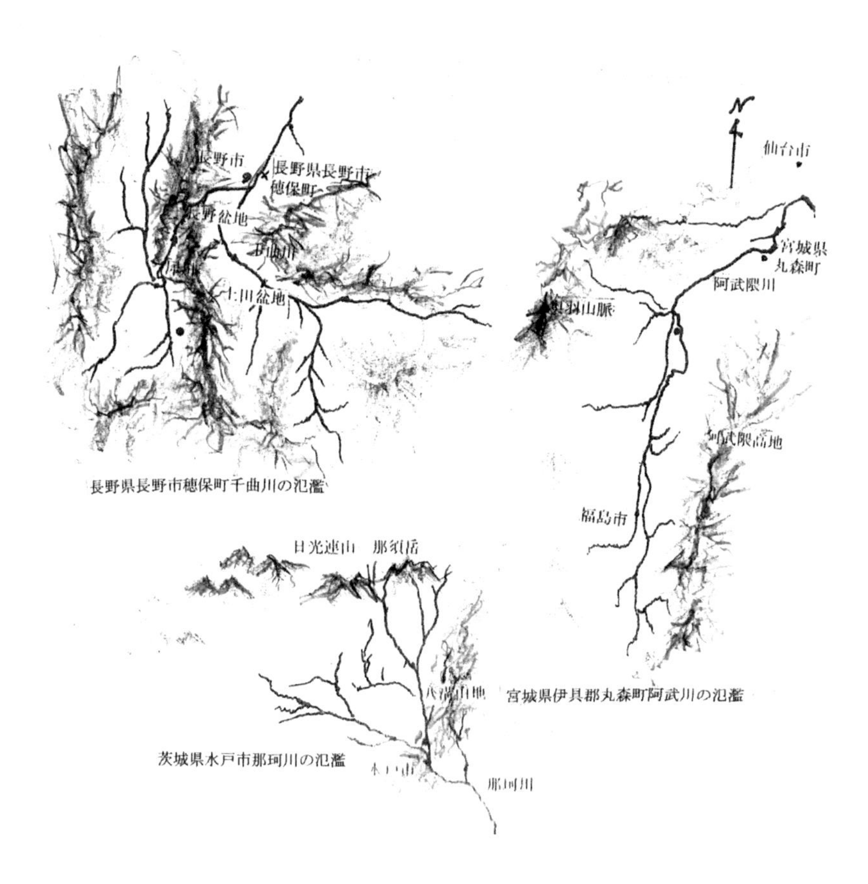

図8　台風19 号による氾濫

（1）長野市穂保町

長野市穂保町は、千曲川に支流の犀川が飛騨山脈の山岳地帯に降った多量の雨を集め合流する場所で、午前 3 時頃堤防が 70m に渡り決壊し大量の水が越流し堤防が決壊して溢れた大量の水が住宅地を見る見るうちに飲み込み浸水した。住民は次々と溢れ迫る水の勢いは信じられないほどの量で恐怖を感じた。浸水は 950ha という広範囲に被害を及ぼした。河川が合流する場所は氾濫が起こりやすく、特に犀川は多くの谷川の水を集めて流れる川で水量も豊富である。台風 19 号の北東からの風が長野盆地と上田盆地の山懐に吹き込み豪雨を降らせ更に飛騨山脈の山岳地帯に降った豪雨を集めた犀川の水が加わり大災害となった。

（2）茨城県大宮市

茨城県大宮市那珂川は、下流の八溝山地に降った雨で既に増水している河川に上流部の那須岳―日光連山に降った雨を数多くの谷川や支流を集め流れる上流部の水が加わり、下流域で越水し堤防は決壊し、水戸市は広範囲に最大 7.2m の深さに浸水し大災害となった。河川の長さが長く流域面積の広い河川は、台風 19 号のように超大型になると豪雨で下流部で河川が増水しているところに上流部の山岳部で降った多量の雨水が加わり、川は越水して決壊、浸水が起こり大災害となった。

（3）宮城県丸森町

宮城県丸森町を流れる阿武隈川は、東の阿武隈山地と西の奥羽山脈間を流れ降雨が集中する。上流で降った大量の雨水が下流に届くと同時に、19 号の雨雲が移動して下流域にも大雨を降らせた。上流の山地をジグザグに流れた谷川は平野部で支流は次々に合流し流れている。山地を流れる谷川は切り立った山の渓谷で行く手を阻まれ直角に曲がりくねって流れている。隈は川が湾曲して入り組んだ所という意味があり川の曲がりが名前の由来という説がある。想定以上の雨量に堤防は支え切れず大きく曲がった水路で水嵩が増した上に急傾斜地からの水が勢いよく平野に集まり越水していた。阿武隈川の本流の曲がりの手前では幾つかの支流が合流し本流の流れの勢いが良いと支流の水を飲みきれず支流の水は滞留し、合流できない水が溢れ堤防が決壊した。阿武隈川はこうした支流が合流する場所が幾つかあって、丸森町では氾濫した洪水で越水、決壊して大規模浸水被害が起きた。

（4）箱根町湯本

箱根町湯本は、南が相模湾に面し、芦ノ湖から流れる早川の河口で湯河原町と小田原市にかけて 500～600m 級の山地に挟まれ河口に平野が広がっている。ここに湿った海からの暖かい風が明星ケ岳 924m と冠ケ岳 1412m 挟まれた深く狭い渓谷に吹き込み収斂して上昇気流となった。空気は 100m 上昇すると平均 0.6℃気温が下がる。この割合で下がっても 8.5℃下がるが、加えて空気の山越えは更に高く上昇して山越えをする。気温が下がると飽和水蒸気量は下がり、箱根町では 48 時間に気象庁箱根芦の湯観測レーダーで 1001mm という年間雨量の 3～4 割に当たる想像もつかない記録的豪雨が降り、箱根登山鉄道は復旧の目途が立たない甚大な被害を被った。

（5）南足柄市矢倉沢

内川、狩川の源流域に、南から東寄りの海からの湿った風が金時山 1213m に向かって吹き込み収斂して豪雨となった。夕日の滝からの渓谷は、砂防用堰堤や巨石が流れを塞ぐ急勾配の深い谷となっている。豪雨で急な山地は各所で崩落が数多く起こり、枝沢からは土石が押し出され、夕日の滝から金時山へのハイキングコースは各所で崩落寸断され、道路を流れた濁流は深く侵食して足場を探して歩く状態となってしまった。

南の海風を呼び込んだ紀伊熊野川の台風災害、大台ヶ原の多雨地帯と海からの湿った風は豪雨を降らせる。

11. 小山町の土砂災害

（1）昭和47年（1972）7月台風6号による小山町集中豪雨

7月11日夜に入り、雨脚が激しくなり豪雨となった。12時間で359㎜という空前の集中豪雨が町を襲った。河川は氾濫し須川、佐野川は、各所で決壊し河川の曲流点での決壊が多く起き、山地、農地、家屋の敷地で土砂崩れが起き道路は寸断され交通が遮断され孤立した集落も多く出た。折しもR246号のバイパス工事直後で道路の法面の崩落が各所で起き甚大な被害となった。

風はさほど強く無かったが豪雨が12時間に及び、たっぷりと雨水が染み込み飽和した表土や埋め土や斜面、路面が流失した。城山の中腹に植えたヒノキ林が、横一文字に髪の毛を分けたように傾き土砂崩れを心配して何度も2階の窓越しに監視した。

集中豪雨の原因は、強風も比較的弱く台風の動きが遅く小山町の北に壁のように連なる西丹沢の三つの佐野川エリア、須川エリア、野沢川エリアに湿った風が長時間吹き込み豪雨を降らせたと考えられる。この台風では箱根北麓の被害は少なかった。

（2）生土城山雲霧神社裏の崩壊

城山標高379.2mは、三方が河川に囲まれ侵食された山で、かつては対岸の小山町犬の平の裏山の尾根が中島の集落まで伸びていた。この尾根が鮎沢川の侵食により寸断された山で、南東の斜面は足柄山地塩沢上部層の海底堆積層が基板に入り込んでいる。山の北西半面は、西丹沢の雨水がかつて小山へ流れ、御殿場市、裾野市を通り駿河湾に流れた古黄瀬川の流れが丹沢山地の礫を運んで堆積した河床礫岩で駿河礫岩層と呼びこの駿河礫岩層で覆われている。

城山の崩壊は、城山の山頂への遊歩道が設けられ、山頂付近は48度の急斜面で斜面を切り取りつづら折れの地肌丸出しの道で正に胸突き八丁でした。山頂に降った雨水は、遊歩道に集まり裸地から崩壊が始まり、途中左手のヒノキの6年生位の植林地からの崩落と合流して160mの斜面を一気に土砂崩れを起し音淵区の氏神さん雲霧神社社殿と音淵公民館を押し倒し、山裾の斉藤、米山、渡辺さんの家屋に土砂が流れ込み家屋は傾き大惨事となった。

崩落の要因は、①崩落を始めた地点が48度の急斜面で表土を食い止める草木が生えていない裸地であった。②崩落した表土の下が古黄瀬川の河床礫岩層で、直径10～30ｃｍの礫岩が厚く層を成し樹木は礫岩層には根を張れず薄い表土を這うように互いの根と根を絡ませて生えている。崩落した斜面には、円礫を積み上げたが如き礫層が中腹から山頂にかけ現れた。③山裾には崩積土が厚く堆積し、崩落した断面に過去に3回崩落して堆積した崩積層が確認された。地元の古老の話では、関東大震災の折に城山は禿げ山になって山の上をウサギが跳ねている様子が山裾から見られたという話もある急崖な山である。地質調査で歩くと山を取り巻くように大きく 8 カ所崩落の跡があり同じ場所で何回も繰り返し崩落している場所が見られた。

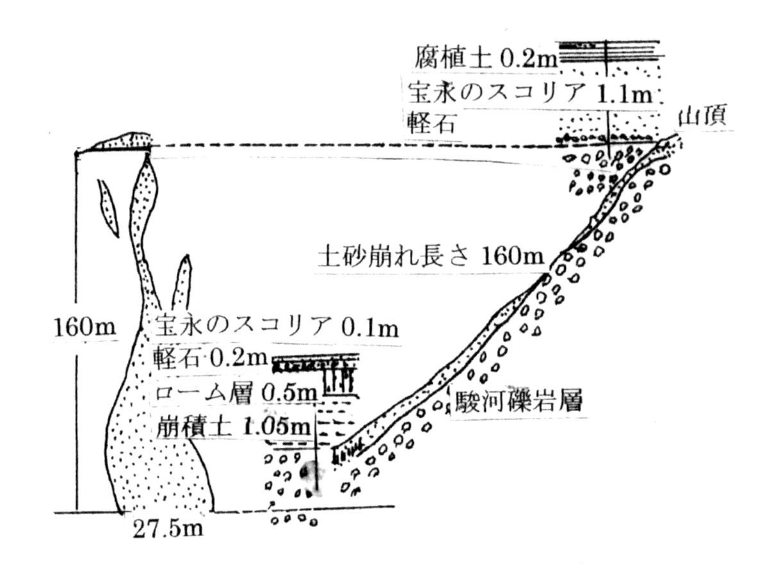

図9　小山町生土雲霧神社裏山の土砂崩れ

（3）小山町の地質、地形と土砂災害

① 不老山～立山

不老山～立山山は山梨県、神奈川県と県境で接している。不老山―湯船山―大洞山～三国山―角取山―立山は、丹沢山地西縁で、第三紀

中新世の1500万年前頃日本列島は活発なグリーンタフ海底火山活動が活発に行われていた。関東山地の南の海底でも活発な火山活動が行われ、玄武岩や斑糲岩の等の塩基性岩石が多量に噴出し、火山砕屑岩が大量に堆積し1万mに及ぶ厚い堆積地層ができた。これが丹沢層群と呼ばれる地層で丹沢山地に広く分布している。その後660～550万年前に石英閃緑岩質マグマの強力な押し上げで海底堆積地層は隆起して現在の丹沢山地ができた。この地層が不老山から富士山に略直線状に連なる1000m級の嶺々となっている。海底火山活動の堆積地層が石英閃緑岩質マグマの強力な押し上げで破砕変質した岩石で、県境付近の岩石はもろく露頭で見掛ける直方体状に割れ目が入り崩れやすい凝灰角礫岩が見られる。崩れやすい境界の山々は長年の間に侵食され切り立った壁のような地形となっている。海底火山活動により堆積した地層は、貫入した石英閃緑岩質マグマの押し上げで接触部分では熱変成を受け、マグマが冷えて固まった石英閃緑岩と同様に硬いが、熱変成を受けない地層はもろく崩れやすい。海底堆積地層は雨水の浸透性が悪く丹沢山地の地層は、急な雨が降ると地中に浸透せずに表層を流れ薄い表土を侵食し崩落を起し、濁流は谷に集まり普段は涸れ沢もあっという間に増水して氾濫して土石を押し流す荒れ川となってしまう。

② 足柄山地

300～250万年前隆起しつつある丹沢山地は、激しい侵食作用を受け南の海に大量の土砂や礫を運び厚い地層を堆積した。170万年前頃までに平らに溜まった海底堆積地層は、100 万年前頃から地殻変動で隆起を始め島が海上に姿を現した。海底堆積地層は、次第に傾きながら隆起して 70 万年前頃急傾斜地となった。これが足柄層群で山北から小山町小山通称下谷地区から生土にかけて分布している。

丹沢山地が侵食され河川水により運ばれ海に堆積した堂山、台層には泥層、畑沢層には砂礫層が堆積し、丹沢に接した塩沢層には礫層が堆積している。足柄山地には小規模の火山活動もあり雨水の浸透性は良く山北町では果樹栽培やお茶の生産が盛んに行われている。小山町の大沢川、滝沢は谷が深く急な山地の流域では崩落が各地で起きている。

③ 箱根火山

箱根火山の明星ケ岳、明神ケ岳、金時山、長尾山、丸岳、三国山は 44～28 万年前の火山活動でできた火山灰が厚く堆積した地層で、火山としては新しいが急斜面で雨水による侵食や断層等により谷地形が発達し沢川が多い。流域の崩落も多く見られる。外輪山の内側は急斜面で深い谷を流れるような渓谷が発達している。特に神奈川県の金時山から矢倉沢に向かう沢は切り立った崖状で堰堤を連続して造り崩落を防いでいる。

④ 駿河礫岩層

西丹沢山地に降った水を集めて流れた川の流れは、南の松田町から小山町にかけ足柄山地が形成され、隣接して箱根火山の明星ケ岳～三国山が形成されると西丹沢に降った雨は、南の相模湾への雨水の流れは阻まれ不老山の裾を東周りに小山町中島、柳島地区に流れ、湯船の旧湯船温泉から西丹沢と箱根山の山裾の谷を通り御殿場に向かい、裾野市に向かって流れた。川の流れは途中の箱根山、富士山の雨水を集め、箱根、愛鷹火山の裾合谷を侵食して一大渓谷となり大河となって駿河湾に流れた。この川を古黄瀬川と呼び古黄瀬川が丹沢山地から侵食、運搬した河床礫岩層を駿河礫岩層と呼ぶ。

古黄瀬川は、10 万年前から始まった富士山の火山活動が進み山が次第に高くなり箱根火山の山裾を埋めると古黄瀬川の流は阻まれ富士山の火山活動による埋め立てと古黄瀬川の侵食による攻防が繰り返された。3 万年位前に遂に富士火山の堆積物で堰き止められ、川の流れは相対的に低い神奈川県山北町に向かって古黄瀬川は流れを変え鮎沢川が生まれ酒匂川に向かって現在の流れへと変わった。寸断された御殿場よりの流れが現在の黄瀬川となって流れている。小山町には駿河礫岩層が、北は中島農業用ダムから旧湯船温泉を結ぶ線から東名高速道にかけて丹沢山地から侵食し運搬された河床礫岩や古黄瀬川が流れを変え鮎沢川となっても、初めは中島農業ダム～旧湯船温泉と北寄りの流から約 2km 南の鮎沢川の流れとなる間や西丹沢の水が現在の河内川ができて酒匂川に流れるまでしばらくは、小山に流れ礫を堆積した。こうした古黄瀬川の末期の変遷した跡地の河床礫や堆積後の侵食、土砂崩れ等で運ばれた駿河礫岩層が広く分布している。大雨が降り続くと礫岩層と表土との固結度は小さく土砂崩れを起こし駿河礫岩層が現れる。

⑤ 箱根火山、富士火山の火山灰の堆積

箱根火山は60万年前から、富士火山は10万年前から活動を始め西風に乗って両火山の東方に火山灰を堆積した。火山に近接した地域では厚く堆積をしている。箱根火山の噴出物は、主として足柄山地、小田原方面に厚く堆積し小山地区の下谷、生土地区に堆積している。

富士火山の噴出物は、西風に乗って須走、北郷、小山地区に厚く堆積している。三地区は富士火山の山麓で、西丹沢に接する須走、北郷地区の大洞山〜立山の山々には厚く堆積し富士火山と近接しているため荒い砂礫質の火山灰が目立っている。

最上層部に宝永の大噴火で堆積した固結力が小さい宝永のスコリアが堆積している。表土の富士火山降下砕屑物は、固結性が悪く雨水で飽和すると流れ出し土砂崩れの切っ掛けとなりやすい。

（4）地質、地形と土砂崩れ

① 須走、北郷、小山地区の後背地

須走、北郷、小山地区の後背地の丹沢山地は、海底火山火山活動により堆積した地層と石英閃緑岩質マグマの押し上げによる変成作用と大規模なマグマの貫入で接触熱変成作用を受け雨水の浸透性は悪く、急に激しい雨があると雨水は表土を浸透し基盤の水の浸透性の

悪い海成堆積地層に達し境を表層水となって流れ谷川に流れ込む。かつて、玄倉川のキャンプ場で、中洲でキャンプをしていた人達がにわか雨で川が急に増水して中洲に取り残され被災した。また下流の酒匂川でつりをしていた人が川が急に増水して被災したのも丹沢山地に、にわか雨が降ると雨水は浸透性が悪く谷川は急に増水氾濫するからである。関東大震災の折には山の70%が崩落して禿げ山になったと古老の話もあるほど表層と基盤の海成地層との固結性が弱いことを示している。

小山町の県境付近の基盤の丹沢山地は、急峻でこれを覆うように箱根火山と富士火山の火山灰が覆っている。特に富士火山の火山灰は近接し西風に流され極めて厚くしかも荒い砂礫質の火山灰の上に、更に宝永のスコリアが最上位を覆っている。急崖地で固結度の悪い表土は、近年の温暖化により豪雨や大雨が降ると表層土が雨水で飽和し液状化して土砂崩れを起こしやすい。土砂崩れの起こりやすい場所では豪雨の際に土石流に注意して先ず身の安全確保を優先することが第一である。上野集落では豪雨のおり奥の沢から土石流が勢いよく走ったのを見たと言い伝えられている。須走の富士高原ゴルフコース横のR138号線に立山からの土砂崩れが近年起きている。

② 箱根北麓

箱根北麓の小山、所領、竹之下、新柴地区は、金時火山に接し麓の新柴地区から3.9km、標高差718mは、18.4/100mと急勾配で大沢川、滝沢、地蔵堂川、金時川は河川の勾配が大きく急流で深い谷川となっている。大雨の度に渓谷の川岸の崩壊侵食が起きている。また急峻な地形のため枝沢が多く土砂の押し出しの跡が多く見られる。

③ 小山町須川と上野川の合流地

ここには約4〜2万年前に古小山湖があった場所で、雨水で運ばれた粘土質の泥土が堆積し、その上に宝永の砂礫が覆っている。粘土質の泥土は水の浸透性がきわめて悪く雨水に接すると摩擦力が小さくなる。平成22年(2010)9月の小山町集中豪雨で表土の砂礫層に雨水が染み込み草地が優位な落葉樹林の斜面は、砂礫層が水で満たされ重みで斜面を滑り落ちる力が働き、斜面の裾から膨圧で砂礫混じりの水が噴出した跡が三カ所あり。その上部が大きく崩落し下から泥土層が現われた。

小山町では、海底火山活動により堆積した丹沢山地と丹沢山地から河川水により運ばれ堆積した駿河礫岩層がある。富士山の東麓では、基盤の雨水の浸透性の悪い海底堆積地層の上に固結性の悪い富士火山降下砕屑物が堆積し大雨や豪雨となると表土層は直ぐに飽和して流れ出しやすく土砂崩れを起こしやすい。

箱根火山に接している地域は火山灰質堆積土で、堆積時や堆積後地殻変動による熱変成や高熱で降下して溶結していないので雨水により下方に深く侵食されやすく、大雨だと深く谷状に崩れやすい。

12. 小山町豪雨災害のまとめ

（1）河川勾配の大きい急崖地の小山での洪水は土石流状態である。

（2）土石流状態

土石流状態の内部では、数頓の巨石も高密度の底流部の浮力を受けボールが弾むように流れている。岩石は平均流速 3.2m/秒の速度(平成 22 年 9 月台風 9 号小山町豪雨災害)で Mkg×3.2m/秒の運動量をもって護岸や河床に衝突し、その衝撃力が護岸の決壊や河床の侵食の原因となっている。

（3）小山町で豪雨となる条件

①台風の強風圏内にあって台風が西側を山梨県に向かうと、小山町では丹沢山地西縁の町の北部の 3 つの懐状のエリアに南東の風が吹き込み収斂して激しい上昇気流が発生して豪雨となる。

②台風の強風圏内にあって台風が箱根山の南の太平洋側を通過すると、箱根山の北麓の山懐に北東の風が吹き込み収斂して激しい上昇気流が発生し、箱根山の北麓に面した小山町小山地区、所

領地区、足柄地域が豪雨となる。

広域的には台風の強風圏内にあって、各地域の山岳に囲まれた山懐状地形に台風の左巻きの風が吹き込む方向に向かって通過すると豪雨となる。山懐状地形と台風が山岳を隔て反対の位置にある時は台風が進んで風向きが変わり懐状地形に吹き込む位置になると豪雨となる。

豪雨災害のメカニズムは小山町に見られた災害のメカニズムと超大型の台風 19 号による各地の豪雨災害のメカニズムは、巨視的(広域)に見るか微視的(狭域)に見るかの違いで同様と考えられる。暴風圏内の気塊の特性(湿度・温度)、地形・地質・山懐状地形(広域的には山岳・山脈・台地に囲まれた地形)と風向きが関係する。土砂災害の最大の要因は、気団・気塊の動きが遅く長時間大雨や豪雨を降らせる事による。

13. 豪雨災害要因の複雑さ

（1）令和 2 年（2020. 7. 4）熊本豪雨

停滞する梅雨前線の影響で九州に猛烈な雨が降り、熊本で 4 日球磨川が氾濫して 15 人が心肺停止、9 人が行方不明となり、浸水した球磨村特別養護老人ホームでは 14 人が心肺停止で 3 人が低体温症となった。

球磨川は長さ 100km に及び上流の山岳地帯は、支流が多く沢川の水を集めて流れ込んでいる。河川が長く流域面積の広い大河の氾濫は、下流域で豪雨により河川の水が増水しているところに上流の山岳地帯の多量の雨が加わると河川は増水して多量の水は溢水、氾濫して決壊、冠水の被害が生じる。下流域の平野部の蛇行地帯での被害の実地検証では、上流部の山岳地帯の災害とは違うメカニズムで災害が起きている。水が退いた後は巨石も岩塊もなく、泥水で家屋は下流に向かって倒されている。倒れた家屋や構造物には樹木が流されて所々に掛かっている。

① 河川が蛇行した曲流点では、水位が内側が 1.2m、外側 4.8m と外側が 3.4m 濁流の流れが慣性でそのまま流れようとして川壁に阻まれ水が集まり水位が上がり水圧が増していた。被害の大きかった場所での流速は 5m/秒と普段の 3 倍と推測され膨大な圧力が流れの障壁に加わっていることになる。

② 被害に遭った流域住民は、水が盛り上がり塊のようになって流れて来たと証言している。専門家は津波のように海水が盛り上がり押し寄せてくるのと似ているので津波災害と名付けた。昭和 47 年(1972)7 月台風 6 号による小山町集中豪雨で下流域の音淵地区で上流に設けた農業用温水ダムが決壊し一気に鉄砲水のように増水して流れた。洪水の流れは、河川の上流域で土砂崩れにより一時的にダムが決壊して氾濫した狩野川台風や各支流域での雨の降り方、地形、山

崩れ等の条件は様々である。

河川に流れる雨水は、明治以前には降雨により川は増水しても川幅を広げ自然の流れに沿って流れることができた。しかし現在の河川は、川の増水、氾濫に対して堤防の嵩上げはできるが川幅を広げ氾濫を防ぐことは難しい。特に近年温暖化による気象災害で豪雨が降っても雨水は明治以前の河川の容量の中を流れなくてはならない。このことを理解して河川の氾濫危険地区では防災計画を立て置くことが大切である。

③ 2021 年 8 月停滞する前線の影響による西日本で記録的大雨

大陸から伸び西日本から北日本にかけて広い範囲に停滞した前線に、南からの温かく湿った空気が流れ込み記録的大雨が続いた。11 日から降り続いた大雨で 14 日に佐賀県嬉野市で 1000㎜ を越え 8 月の平均値の 3.7 倍の大雨となり河川の氾濫、溢水、浸水、土砂災害がおきた。ドイツでは 7 月中旬集中豪雨に見舞われ複数の地域で洪水が発生して濁流が家屋を呑み込み道路や橋が損壊した。米カリフォルニア州デスバレーでは 7 月 9 日 54.4℃を記録し、州北部で山火事が発生して東京都の面積に匹敵する約 2 千㎢を焼失した。

地球温暖化の影響で世界の気象は変化し従来の常識では理解できないような気象災害が起きている。雨の降り方と気団の動きが遅く海からの暖かく湿った空気が長時間流れ込む気圧配置の時は災害に注意をしなくてはならない。人も物も岩塊も濁流の中では浮力が働き重さが軽くなり流れる水圧を食い止める事は難しく押し流されてしまう。洪水の怖さを認識し防災に努めることが肝心である。

（２）令和２年（2021）７月３日静岡県熱海市伊豆山逢初（アイゾメ）川の土石流

停滞する活溌な梅雨前線の影響で静岡県内は、２日より48時間の総雨量が浜松市中区、三島市、掛川市など12地域で７月の観測史上最大値を記録し大雨となり各地で土砂崩れや浸水が相次ぎ交通も乱れた。

熱海市網代で48時間で321㎜となり７月の１ヵ月の雨量を上回った。3日午前10時30分頃伊豆山神社南西で大規模な土石流が発生して逢初川で土石流が流れ流失家屋44戸、死者26人、行方不明１人の大災害となった。テレビの報道に写る映像は、土石流の洪水が津波のような高波となり溢れ流域の家屋を呑み込み流失させ護岸を決壊させた。

① 洪水が波のように流れたことは、急傾斜地で多量の濁流が流速を速めどっと流れる要因となったと考えられる。洪水が黒っぽかったことは多量の泥を含んだことで、水位が下がり川幅を広げ跡地に岩塊や流木が見られず、泥水と倒壊、破壊された家屋の残骸が見られた。静岡県小山町の豪雨災害による急崖地の土砂崩れによる洪水と

は様相が違った。

静岡県は 8 日に、大規模土石流発生後に逢初川流域の詳細な地形データと土石流最上部以外は地盤が殆ど侵食がされていないことを確認して、土石流発生最上部が 55500 ㎥が流失しそのかなりの部分が盛土といえると発表した。

地中内部は、岐阜県飛騨市の神岡鉱山跡に超新星爆発で生ずるニュートリノの検出装置を 1983 年に設置した。地下千メートルの岩盤では、掘削すると周りの岩盤にかかっている内部圧で岩石が飛び出してくる。飛び出す岩石を防ぎ検出装置を安全に設置し装置の安全を守るかという苦労話があった。また、東海道線丹那トンネルの掘削に、トンネル内の掘削した土石を運び出すトロッコのレールが下から持ち上がって当時としては驚き土圧による崩壊に苦しんだという。

小山町内の小学校でグランド拡張工事を行い盛土して土留めに石垣で囲った。その後大雨で水分を含んだ土圧で石垣が崩れ盛土が流出した。また、斜面を切り崩しその土で反対側を盛土した道路が地震の揺れで盛土部分が亀裂が生じて落下したり、大雨で流失崩壊することがある。

盛土は固まり難く、水を含むと下に水を通しにくい層があると軟化して粒子間の摩擦が小さくなったり膨圧等の力が働き崩れやすくなる。

昭和 47 年(1972)7 月台風 6 号による小山町集中豪雨で、城山の斜面が 160m 山頂近くから山裾まで土砂崩れを起こした。隣接地の北の斜面が、やや北下がりに串で頭髪を分けたように下盤の樹木が傾き、崩落は免れたが近接地で心配で何度も監視した。表土は大雨で水分が多量に吸い込むと土の粒子間の摩擦が小さくなり、緩んだ地盤が一つの塊として巨大な重さとなり崩落を始める。崩落が始まると土石流状態となり途中の表土を削り取るように呑み込み勢いを増し流れ下る。

1万6千年前の古期富士山の火山泥流は、氷期で山頂付近の厚く堆積した雪や氷が火山の熱で溶け大量の水が発生し火口付近や流路の溶岩や土石を呑み込み、山裾の御殿場―小山の河川に流れ込み勢いを増し、現鮎沢川流域に多量の泥流を流し火口から22km離れた小山町役場付近の谷を 13m の厚さに埋め、神奈川県山北町や峨を通り酒匂川の支流皆瀬川を遡上して現山北の街に流れ込んだ。

高密度の土石流中の岩塊は、浮力で重さが極めて小さくなり人の背丈の何倍もある岩塊も自重で落下したり、高密度流の流に押され簡単に流される。この強大な破壊力を持つ土石流を発生させた根本原因は地球温暖化による降水量が増加で従来の考え方では及ばないことが多い。梅雨前線が停滞し大雨が降り続いていた伊豆山近くの南の海には高気圧があり湿った海の大気が流れ込んでいたと考えられる。

② パイピング(Piping)現象

地下水が土の中に浸透して地下水位が高くなると、高低差によって盛土の下部に掛かる水圧が高くなり土砂が勢いよく吹き出す。このようにして逢初川で発生した土石流は、盛土が発生源となったのではないかとの見方がされている。

平成 22 年(2010)9 月台風 9 号による小山町の豪雨災害の調査で、須川流域に、丹沢山地西域の急崖地が永年の雨水等の侵食で崩落し運ばれた土砂が平地や古小山湖に流れ込み扇状地堆積地層をつくっている。扇状地の末端域には、分粒され泥土層が堆積しその上に宝永のスコリアが堆積し草で覆われている。豪雨により砂礫層は、浸透性の悪い泥土層に水の浸透を阻まれ飽和して表土の草の根が貯水膜となり、斜面の一部から液状化した砂礫混じりの水が管口から噴出したように堆積していた。周辺に同様な噴出堆積したカ所が 3 カ所あり、その上部の斜面が大きく土砂崩れを起こしていた。同様な土砂崩れが小山町湯船、大沢川流域で見られた。

14. 豪雨災害の防災

世界の災害の中で、豪雨による洪水の災害件数が近年突出している。災害の起こりやすい場所と地形と地理的環境を把握して災害時の避難、命を守る行動が大切である。

（1）豪雨による河川の氾濫

豪雨により河川が氾濫しているときは、激しい洪水の流れは直線的に流れ、流路の曲流点で護岸や川岸に激しく衝突し、跳ね返され、玉突き状に流れ濁流中の巨岩が連続的に当たり護岸や川岸を決壊させている。小山町の決壊カ所はこのような河川の曲流点で殆ど繰り返されている。

（2）護岸を強固にする

護岸を強固にするには、護岸の基礎部分を厚さ30～40cm幅で基礎部分を巻くようにコンクリートで補強する。基礎部分をコンクリートで補強することにより護岸が、洪水の中を巨岩(Mkg×Vm/秒の運動量)がボールのように跳ねながら護岸に衝突する衝撃力をコンクリート製のブロックの積み上げだと、巨岩の衝撃を衝突した部分のブロック 1 個に集中するが、コンクリートで巻くことにより護岸が一体化し大きな塊として受け止めるので衝撃力は遙かに小さくなる。

平成の水害：写真左の落合地区と右の音淵区に架かった下野沢橋は、流木がかかり溢水し膨大な水圧で橋は跡形もなく流された

（3）巨岩の衝突

巨岩の衝突により護岸を決壊する運動量は、質量と流速の積による。これを弱めるには流速を小さくすることである。流速を弱めるには自然石を護岸の基礎部分にコンクリートで固定するように埋め込むと乱流が起こり弱まる。洪水の本体は土石流で、巨石も高密度の土石流中では重さを失い軽くなる。小山町の鮎沢川で、約 30 t の巨石が須川から鮎沢川に流れ出し、それもいつしかその後の洪水で流されてしまった。固定された岩石は、洪水の流れの抵抗となり岩石の周りの流速は弱められ岩塊の衝撃力を小さくする。小山町役場横を流れる鮎沢川に魚道が設けられており、洪水の後魚道に埋め込まれた巨石により洪水の流速が弱められ洪水中の岩塊が堆積して、魚道の下流に洪水により流れてきた岩石が下流に中洲のように堆積していることからも効果的である。

自然石を埋め込んだ魚道で洪水が弱められ
岩石の中州が出来た

（4）流砂防止用の堰

河川に流砂防止用の堰を設けると、例え50cmの落差でも豪雨により水嵩が増水すると、土石流状態の岩塊はそれぞれの位置(落差)より落下して河床に衝撃を与え、河床を滝壺を抉るように侵食して護岸の基礎を浮かせる。小山町の豪雨時には、堰の両側の護岸の決壊が多い。

砂防用堰堤は、階段状に設けずスロープにして両岸に自然石を埋め込み側面の流速を弱めることにより、洪水中の巨石の衝突による衝撃を和らげる。巨石を埋め込み補強した護岸は小山町では須川と鮎沢川の合流点と須川発電所の水を再取水して天神原の貯水池に通水する水路の入り口に設けた護岸にあり、周りが豪雨災害で被害を受けても損傷を受けていなかった。

（5）急傾斜地の崩落

御殿場―小山の前川から鮎沢川には 16000 年前の氷期に富士山の大噴火で大量の火山泥流が発生して、御殿場市中畑から深沢―小山町桑木―小山―山北―酒匂川に流れた大泥流層は、コンクリートの護岸より強固である。

地質の強度にもよるが昭和 47 年(1972 年)7 月 12 日の小山町の集中豪雨で斜面崩落 10 カ所崩落地の調査で、斜面傾斜 40°、42°、43° の斜面で各 2 カ所ずつあり、44°、46°、48°、50° の斜面が各 1 カ所崩壊していた。小山では斜面角 40° 以上の角度は豪雨の折表土が豪雨で飽和すると土砂崩れの危険性がある。土砂崩れ跡地に地表近くの表層水が吹き出しているのを見掛けるので豪雨の折このような地表の雨の流れにも注意が大切である。

（6）被災箇所

被災箇所は、同じ場所で繰り返し起こることが多いので過去の教訓を生かす。災害の発生しやすい場所では同じ場所で同じような災害を受ける傾向にあるので気をつける。河川の災害危険地を見て回ると豪雨災害で災害から免れても過去の災害復旧跡が護岸に周りより新しくなっていることで良く分かる。

（7）台風

令和2年(2020年)10月強い台風10号は、8日発達しながら九州に接近し、9日には四国沖、10日には紀伊半島から東日本の沿岸に接近する恐れがあったが、10日紀伊半島沖から進路を東に変え伊豆諸島南部に接近、その後南下して消滅した。インド洋の水温が高く、風が東シナ海に吹き込み、偏西風が大きく南に蛇行して冷たいチベット高気圧の影響で、気温は17～18℃と9月の猛暑日から比べ低かった。気温の低いことで台風は勢力を拡大すること無く大陸の高気圧に阻まれ東に向きを変え被害は少なかった。10号の勢力を弱めた要因には前に通過した台風が温かい表層流をかき混ぜて海水温を下げたことも大きな要因となった。しかし、気象は定まらず10月半ばで不作で少しのカキが虫痛みでないのに赤くなり、ボタリ、ボタリと落ちてしまい。葉も紅葉せず褐色の枯れ葉が目立った。

台風 14 号で気温がこれほどまで気象に影響するのかの証であり、地球温暖化は、真剣に考え行動しなくてはならない。台風 10 号では日本では気温が低く被害は少なかったが、地球規模ではサンフランシスコ、ヨーロッパの干魃による森林火災と熱波、寒波による災害が起き異常である。

（8）洪水災害の防災

災害は幾つかの悪条件が重なり起こる。災害が河川の決壊や破壊、山地での土砂崩れ、溢水や浸水を起こしている。災害の起こりやすい場所は、過去にも災害が起きていることが多い。災害は繰り返し数十年単位で起きている。近年は温暖化の影響か多くなったように感じる。自分のいる場所の地質、地形的要因に台風等の気象的要因が重なり起きている。地域により災害の起こりやすい場所がある。災害を記録にとどめ教訓にすることは命を救うことにつながる。

川の流れの静かな平常時でも、身近な河川の状況を見ておくと防災に役立つ。洪水の時流れが速く護岸に激しく濁流が当たる場所は、護岸が新しく修復されていたり川に淵がある。流れの緩やかなところには岩石や砂礫が堆積して州ができている。堰堤があるとその下流には深い淵がある。危険でないときに川の水の流れを見ておくと、洪水の際の流れが予想され危険な箇所がよく分かる。災害を防ぐには、普段からの防災意識と心掛けが大切となる。

（9）氾濫している川には近寄らない

昭和47年小山町の集中豪雨で、氾濫した野沢川は、六合橋上流で氾濫増水した濁流が、溢水・浸水・護岸の決壊・家屋の流失・道路の流失が僅か40分の間に起きた。荒れ狂う濁流の中では何が起きているか分からない。興味本位で濁流をのぞき込んでいる人を見掛けたが近寄ると危険である。平成22年の小山町豪雨災害で流失した下野沢橋も流失前に、既に橋の周りの護岸が崩れ危険な状態でいつ崩壊してもおかしくない状態にあった。その折り近くの農協Aコープからの買い物客か自動車が橋を渡っている。近くにいた警察官にお願いして交通止めをして頂いた。

（１０）氾濫・溢水

氾濫・溢水して灌水している道路を車で走るのは危険である。濁流の中では道路事情が分からない。道路が流失していたり、陥没したり、側溝は分からずはまると危険である。また車が濁流に呑み込まれると車は浮き水圧でドアは開かず閉じ込められてしまう。

（１１）水の中

水の中では、浮力が働き人の体は重さ 0 になってしまう。流れにはまったり速い流れに足を取られると、あっという間に流されてしまう。昭和 47 年小山町の集中豪雨では道路に溢れた豪雨が涸れ沢に流れ込み、洪水対策をしていたＯさんが、急な鉄砲水に呑み込まれ、とっさの判断で笹にしがみつき濁流の中で息を止めていた。幸い鉄砲水で流されず指のかすり傷だけで命を守った。水の中で自分は長く息を止めていることができるという冷静な判断が頭をよぎり命を救った。

焼津市海洋圏研究所所長の小網汪世(ヒロヨ)さんは、磯釣りをしていて荒波にさらわれ、とっさに岩にしがみつき「寄せては返す波の音」が頭に浮かび波の退いた後海から脱出して命を守った。冷静な判断と行動が命を守る。小網さんは、音波を使って駿河湾の海底地形を明らかにした人である。

（１２）川の流れ

川の流れは全体が一様に流れるのでなく、一般には流水が川壁、河床に触れるところは抵抗が働き遅くなり、空気に触れる水面は空気との抵抗で遅くなる。最も速いのが川の中央部の水面から少し下がった場所に大福餅形の速い部分がある。これから河床、川壁、水面に近くなるほど遅くなる。

防災には流水が接する護岸の基礎部分や段差があり河床が深く滝つぼ状に侵食される場所の床固め工事には段差をスロープにして自然石を埋め込むと水と接する不規則な面が流速を弱め、洪水中の岩塊の速度を遅くし衝撃力を弱めることになる。福岡県筑後川の支流朝倉市野鳥川に石積みの技術を使った川底を固めた石畳堰(イシダタミゼキ)という川底維持という工法で水の流れで土砂の流出を防いでいる。現在のように護岸が平らに舗装され河床が平らに通称三面張り構造は、境目の下流部分で河床の侵食や護岸の決壊が起きている。河川勾配の大きい小山町内の河川では、鮎沢川に魚の遡上用に設けた魚道は自然石を半分近くコンクリートで埋め込み、流水に接する面を不規則にすることで流速を弱め岩塊の衝撃力を弱めることが有効である。鮎沢川には洪水で土石流状態で運ばれた岩石が洪水が治まると魚道の下流に岩石が中洲となって堆積している。洪水対策として川の流れを良くする工法が取られるが、大きな障害となる橋の橋脚や構造物とは違い流水が川壁や河床の接する部分の凹凸は接する面の抵抗で流速を弱められ侵食や破壊を少なくすると考える。昔は大水が出ると竹や灌木を切って縄で結び、流されないように固定して川辺に流し石垣や土手の崩れるのを防いだ。

（１３）情報の共有

令和 1 年(2019 年)10 月台風 19 号超大型台風による豪雨災害で、犬の平沢と桃山沢流域に降った豪雨が、表層の砂礫を沢に流し、流砂状の洪水が犬の平に溢流した。母親から沢の水量の異状を電話で受け、自宅で警戒していた内田肇さんは、濁流が水路から溢れて広場に流れ出すのを見て、特別養護老人ホームに避難を呼びかけた。連絡を受けた職員は、1 階にいた利用者全員を 2 階に避難して無事であった。災害時には、呼びかけや災害危険情報を防災無線等で流し、情報を共有することで、各自の命を守る行動ができる。

広域的には次の事項を加える。

（１４）大きい河川

河川の長さが長く流域面積の大きい河川では、台風や梅雨時に下流域で既に増水しているときに、上流の山岳地帯に降った多量の雨が加わり、溢水して堤防は決壊し浸水の被害をうける。山岳地帯の雨を集めた犀川の大量の雨水が本流の千曲川に合流する場所は、本流が既に増水しているところに犀川の水が加わり、溢水し決壊、浸水を起こした。堤防で注意したいのは、一般的に堤防は底の部分は補強されているが、上部は土盛の上に芝生で水にもろく越水すると侵食されやすく決壊しやすい。決壊すると浸水はあっという間に広範囲に拡がる。危険と感じたら早めに避難することが肝要である。

（１５）日本の市街地

日本の市街地には住宅地より高い位置を流れる天井川がある。濃尾平野を流れる岐阜県の長良川は、河口から20kmの地点で堤防の高さが7mもある。東京では江戸川、早川、綾瀬川、荒川、隅田川は、流れる水面が市街地の基盤より高いところを流れている。平野部を流れると河川は、長年の間に泥が沈殿して河床を上げ住宅より高い位置を水が流れることになってしまう。防災には、上流に遊水池、貯水池を設けたり、都市の地下に一時的に貯水する地下ダム等が進められている。2019年の超大型台風19号の豪雨で東京で浸水の被害が起きなかったのはこのお陰である。現在の河川は、明治時代の川幅で川幅を広げることは難しく堤防を嵩上げするしか緊急対策はとれなかった。それに土砂、泥の堆積で河川の底は上がっている。

（１６）都市や地方の町

都市や地方の町の排水用の側溝や用水路など古い構造物は、古い建設基準で施工されている。災害が起こるたびに基準は上げられているが町の構造まで変えることはできない。地球温暖化は降雨量も多くなり旧来の排水溝では豪雨を処理できなくなり、道路に溢れだした水で災害に遭う件数も多くなっている。

水の怖さを知り、荒れ狂う川の流れも一様でなく、危険な箇所も流れの緩やかな所もある。災害時冷静な判断をできる行動が命を守る事になる。

15. 小山町の豪雨防災体制

（1）小山町が豪雨となる地形、気象条件

豪雨となる地形的条件と気象学的条件が重なると、台風の位置、進路、速度により豪雨発生場所に傾向があり災害の発生地区が予測される。

① 台風の強風圏内にあって台風が小山町の西側を山梨県に向かうと、小山町では丹沢山地西縁で町の北部の 3 つの懐状地形のエリアに、南東の風が吹き込み収斂して激しい上昇気流が発生して豪雨となる。

② 台風の強風圏内にあって台風が箱根山の南の太平洋側を通過すると、箱根山の北麓の山懐に北東の風が吹き込み収斂して激しい上昇気流が発生し、箱根山の北麓に面した小山町の小山地区、所領地区、足柄地域が豪雨となる。

（２）豪雨時の防災体制（災害対策本部）

台風の勢力、位置、進行方向で、豪雨発生と災害発生危険地域が予測されるので、予測される地域の降雨量と河川の水位が災害対策本部でリアルタイムで把握できれば、豪雨発生予測地域での河川等の危険度のレベルが把握できて防災に役立つ。災害を中心に、野沢川エリア、須川エリア、佐野川エリア、小山地区、所領地区、竹之下地区等分け、各エリア・地区に時間雨量自動計測装置と災害本部で無線でリアルタイムで把握できるシステムを設置する。併せて主な河川の橋脚に水位計を設置する。これも災害本部でリアルタイムで把握できる無線装置の設置をする。

時間雨量と河川の水位（河川氾濫安全水位）に台風の位置・規模・進路・危険地域の町民の現場情報を加えれば、町として災害危険度の確かなレベルが分かり、気象庁、マスコミ、県の指示情報等総合して町民の命を守る対策ができる。豪雨災害時の記録は、積み重ねることにより強固な防災ができて安全な町となる。

（３）河川、護岸の破壊、決壊の起こりやすい傾向

河川の決壊について、決壊にはその原因と場所による地形、地質、河川の流れ等による災害が起こりやすい傾向がある。

① 決壊のメカニズムは河川の曲流点と堰堤のあるところで主に

起きている。

a　曲流点の護岸は、自然石をコンクリートで埋め込み護岸を厚いコンクリートで巻くように補強した護岸にする。茅沼の須川が急角度で曲がる河川の護岸は、ダムの堰堤のような強固なものにしこれも洪水中の岩塊の連続的衝撃に耐えるためには基礎部分には自然石を埋め込むと強固となる。

b　堰堤をなくす堰堤は、スロープにしてスロープには、自然石をコンクリートに魚道のように埋め込むと流れが緩やかになり、土石流中の岩塊の破壊力が格段に弱まる。

② 超大型台風 19 号の折には、足柄地区で鮎沢川の溢水が起きているので護岸の嵩上げが必要。併せて町内各所の危険箇所を調査改修する。

（4）土砂崩れ

昭和 47 年(1972 年)7 月 12 日の小山町の集中豪雨で斜面崩落 10 カ所の調査で、傾斜角 40°～50°の斜面で崩壊していた。斜面角 40°以上の斜面は、豪雨の折表土が豪雨で飽和すると土砂崩れの危険性があるので地質と併せ調査して対策をとる。

16. 一般的各地域防災(広義)

一般的に台風、梅雨前線、低気圧等に伴う豪雨災害の共通すること

① 水分をたっぷりと含んだ気塊の動きが、ゆっくりとして長時間雨を降らせることであり、気塊の動きが遅い豪雨には災害の注意が必要である。

② 台風、低気圧による豪雨は、谷川が平地に流れる出口の地形が扇状に拡がり、後背地 1000m 級の山地になっている懐状の地形があり、谷川の流れに対して右手前方から風が吹き込み、気団の動きがゆっくりと長時間降らせる豪雨に災害の注意が必要である。

一般的には、都道府県更に各市町村毎に、地域の地形、地質、河川の流れ、雨水の排出能力等把握して各市町村毎に体制をつくり記録を積み重ね、地球温暖化による気象災害から命と財産を守る防災対策を立てることが大切である。

防災は、災害の要因と災害発生のメカニズムを知り、恐れをもって命をまもることにある。

復旧は、災害発生の要因を探り、外観を元の状態にもどすだけでなく、災害発生の要因対策を含めて復旧することが肝要である。

おわりに

地球創世 46 億年遙かな時の中で、生命が誕生し、物理的環境と生物相互の関わりの中で進化適応をし、命をつなぎ多様化した。アマゾンの開発の火炎が人工衛星から観測された平成の初期、一部の科学者は地球の肺ともいわれる熱帯雨林が失われると世界的気候変動が起こると警告した。しかし、植物の生長が速く天をつく巨木と多様な生きものが棲む熱帯雨林がそう簡単に減少して気候変動が起こるとは信じ難かった。私は多くの良き師、先輩と出会い理科を通し生徒と関わった。

緑の地球環境は、海の中で誕生した最初の生命が様々な物理的な条件と生物相互の関わりの中で進化、適応して多様化した。生きものたちの棲む真の自然の姿は生態系にあり、生態系の中で最も重要な役割を果たしているのが生産者である光合成を行う緑の植物である。限りなき恩恵を与える森と草原が地球から減少し砂漠が広がり様々な気象災害が起きている。特に顕著な現れとして地球温暖化による豪雨災害が多発している。水と緑豊かな富士山の麓に生を受け、その懐で自然が演ずる姿に興味と発見する喜びを得た。生きものたちが棲み命を繋ぐ地球環境は、緑色植物を中心とした生態系と生命活動に重要な水である。この大切な水と緑の植物の復元と保全を環境教育と環境活動の中心に進め、水と緑豊かな地球環境を次代に引き継ぐ行動を始めて頂けば幸いである。

参考文献

・『富士山と四囲の山々の自然とくらし』保坂貞治、静岡新聞社

・『平成 22 年(2010 年)9 月台風 9 号による小山町豪雨災害と令和 1 年(2019 年)10 月超大型台風 19 号による豪雨災害』保坂貞治、静岡地学会

・『森林の環境 100 の不思議』日本林業技術協会編、東京書籍

著者略歴

保坂 貞治（ほさか・さだはる）

昭和31年静岡大学教育学部卒

同年御殿場市立御殿場中学校教員としてスタート小・中・高理科教師として38年

昭和48～52年静岡県立教育研修所指導主事

昭和55～58年御殿場市教育委員会指導主事

昭和62～平成4年御殿場市内中学校長

環境カウンセラー環境省登録平成8年より富士山ナショナルトラスト会長3年

独立行政法人国立中央青年の家非常勤講師20年

YMCA東山荘非常勤講師25年

御殿場市社会福祉協議会シルバー大学院講師13年

沼津建設業協会広報誌執筆水の惑星地球環境26年

水と植物の地球環境
環境破壊による気象災害

2023年12月31日　初版第1刷発行
2024年10月31日　初版第2刷発行

著　者　保坂貞治
発行者　向田翔一

発行所　株式会社22世紀アート
〒103-0007
東京都中央区日本橋浜町3-23-1-5F
電話　03-5941-9774
Email: info@22art.net　ホームページ：www.22art.net

発売元　株式会社日興企画
〒104-0032
東京都中央区八丁堀4-11-10 第2SSビル 6F
電話　03-6262-8127
Email: support@nikko-kikaku.com
ホームページ：https://nikko-kikaku.com/

印刷
製本　株式会社PUBFUN

ISBN：978-4-88877-276-1